"선생님, 공부가 재미있어요~~!"

행복한 학교, 행복한 사회를
만드시는 모든 분께 이 책을 바칩니다.

선생님, 공부가 재미있어요

발 행 | 2023년 12월 06일
저 자 | 송남규
펴낸이 | 한건희
펴낸곳 | 주식회사 부크크
출판사등록 | 2014.07.15.(제2014-16호)
주 소 | 서울특별시 금천구 가산디지털1로 119 SK트윈타워 A동 305호
전 화 | 1670-8316
이메일 | info@bookk.co.kr

ISBN | 979-11-410-5774-9

선생님,

공부가
재미있어요~~!

해피송 교장 송남규 지음

목 차

공교육 정상화의 골든타임 　79

나도 하나의 점 & 거대한 파도   151

공부는 재미있습니다

-공자 가라사대, 공부는 기쁨과 즐거움을 준다

*********** 신(神)은 제게 '비교'가 아닌 '절대 행복'을 위해 **'공부 문맹 탈출'**을 꿈꾸는 사람들, **생각하는 힘**을 키우자고 외치는 사람들, 그들 서로 서로가 알아볼 수 있도록 신호를 보내는 일을 맡기셨습니다. '달걀로 바위 치면 흔적은 남는다'라는 벗(友)의 격려로 용기를 되새기며 이 글을 씁니다. ******************

※ **'공부 문맹'**이란, '좋은 대학에 진학하기 위해 국영수 시험 1등급을 목표로 하는 것'만을 공부라고 하는 것으로 규정합니다.

학교는 희망을 품는 곳입니다

공부는 희망을 키웁니다. 학교는 그래서 즐겁습니다.
학교는 어떤 모습이 학교다운 모습일까요?

"아동학대처벌법·학교폭력예방 및 대책에 관한 법률, 학교의 기능을 넘어선 보육과 방과후교육 & 성적 지상주의와 자기 자녀에 대한 잘못된 사랑으로 '악성 민원인'이라는 무시무시한 용어가 생겼습니다. 공교육이 처한 어려운 현실을 직시하고, 공교육이 나아갈 올바른 길을 찾고자 '멈춤'을 위해 하나하나의 점이 되어주신 대한민국의 위대하신 선생님들, 고맙습니다. 우리를 멈추게 했던 IMF처럼, 선생님들의 '멈춤'은 학교 교육을 포함한 대한민국이 직면한 큰 위기 극복과 더불어 앞으로 더 나아가는 기회가 될 것입니다. 진정으로 감사합니다."

"공부 문맹 탈출, 학교가 학교다워야 가능합니다."

입법부, 사법부, 행정부의 고유 역할이 있듯이 사회 각각의 기관들은 고유의 기능이 있습니다. 학교는 학생을 교육하는 곳으로 보육과 방과후교육은 학교의 기능을 잃어버리게 하였습니다. 학교의 순수 역할과 직접적인 관련이 없는 두 개의 업무가 학교에 얼마나 과중하며 치명적인가는 학교에서 처리되는 공문의 숫자가 증명합니다. 학교와 선생님의 정체성이 흔들림은 수준 높은 양질의 교육이 불가하게 하여 학생에게 피해를 줌이 명백합니다.

공부 문맹 사회로 장기적 안목과 선생님과 의논 없이 이루어지는 정책은 학생과 학부모를 성적 지상주의와 맞물린 보육·방과후 교육으로 인해 학교의 올바른 기능을 알 수 없게 만들었습니다. 보육시설과 특기 적성 학원으로의 둔갑은 학교와 교육자로서의 존중감을 잃게 하였으며 학교가 '학교가 아닌 곳'이 되었습니다.

진정으로 학생과 학부모를 위한 올바른 보육과 방과후교육, 그리고 그 직의 종사자를 위해서도 학교가 아닌 지역사회로 중심이 넘어가야 합니다.

훈육을 불가능하게 하는 아동학대처벌법은 후삼국 시대 궁예의 관심법에 버금갑니다. 학생의 일상생활 일거수일투족을 모두 학교폭력의 범주에 포함한 학교폭력예방 및 대책에 관한 법률은 '학교 내외에서' 발생하는 일로 시간적·공간적 제한 없는 규정으로 학교는 학기 중, 방학 중, 24시간 풀타임, 1년 365일 내내 무한 책임을 져야 합니다. 동네 놀이터, 학원, 친구 집, 여행에서 일어난 일도 학교가 관여해야 한다니 세상에 이런 법이 존재한다는 사실이 불가사의하게 여겨집니다.

선생님들은 동료 교사의 잇따른 죽음을 계기로 '교육이 가능한 교실, 교권을 통한 학생들의 학습권이 보장되는 교실'을 위해 '공교육 멈춤의 날'을 결정했습니다. 선생님들의 참여 없이 일방적으로 결정되는 교육정책, 그로 인해 발생한 악성 민원인 등에 의한 정상적인 전인교육이 불가능한 지금은 '멈춤'·'되돌아봄' 그리고

'나아감'이 필요한 '골든타임'인 것입니다. '공교육 멈춤의 날'은 심폐소생술이 필요한 '골든타임'을 '잠시' 연장한 '기적의 날, 결단의 날'입니다. '멈춤'으로써 회생의 시간을 벌어준 이번 '기회'를 놓치는 것이 염려되어 펜을 들었습니다.

하지만, '공부 문맹 탈출'이라는 책을 포함하여 제가 쓰는 책이 당분간 세상의 주목 받지 않기를 희망합니다. 공부의 목적은 '전인교육을 위함이다'라고 생각하는 0.1%의 사람들이 존재하는 환경에서 저 홀로 99.9%의 사람들과 맞서는 경우가 생긴다면 그것을 이겨낼 역량이 의심스럽기 때문입니다. 0.1%의 사람들이 똘똘 뭉쳐있다고 해도 쉽지 않을 텐데 서로 서로가 어디에 있는지도 모르고 있는 현실입니다. 그러기에 저로서도 내공(內功)을 쌓는 기간과 0.1%의 사람들을 찾는 데 시간이 필요합니다.

제가 쓴 책은 바로 그러한 분들을 찾기 위해 세상에 보내는 신호(信號)와 같습니다. 오랫동안 99.9%의 공부 문맹 사회에서 용기를 내지 못해서 말 못했던 분들, 무언가 잘못된 거 같은데 콕 짚어서 이야기하지 못했던 분들, 학교와 사회가 시험 천국으로 변하는 이상한 현상을 안타깝게 바라본 분들, 꿈·끼를 발산하는 학생들을 보고파 하는 분들⋯⋯. 이분들을 찾아내는 신호입니다.

학생들이 신바람 나게 어깨춤 추며 가방 메고 학교 가는 사회, "선생님, 공부가 재미있어요~!!"하는 사회는 그다지 멀지 않습니다.

학교는 전인교육을 합니다

학교는 전인교육을 하는 터전입니다.
내가 나의 모습으로 살 때 가장 멋집니다.
멋진 사람이 넘치는 사회, 우리나라의 모습입니다.

공교육에서 사교육 영역인 방과후교육을 담당하는 것이 당연해지며 확대되듯이, 돌봄도 당연해지며 늘봄학교로 확대될 시점 이전에 이미 초등학생 대상으로 '의대 입시반'을 구성한 학원이 등장했고, 서울대생이 서울대학교 학과에 개설된 수학 과목에 '반수'를 통해 SKY대 의대 및 전국에 있는 의대에 진학하고자 수강 학생이 몰린다고 합니다.

공부 문맹은 심각한 전염병입니다. 초·중·고를 떠나 대학생이 되어서도 치유되지 못하는 병(病)입니다. 아니, 학생이 아닌 성인(成人)을 포함한 온 국민의 무서운 돌림병입니다.

공부 = 국영수 시험 잘 보기 위해 하는 것
공부 = 의과대 있는 대학에 가기 위해 하는 것
공부 잘하는 사람 = 국영수 내신 1등급, 수능 1등급컷
공부 잘하는 사람 = 의대에 진학하는 사람

공부 문맹은 '성적 지상주의'로 내달렸고, 공부 문맹 사회는 학교를 보육과 사교육의 장으로 만들었기에 '아동 학대법'이 도화선이 되어 필연적으로 '악성 민원인'이 생겼습니다.

논어(論語), 학이편(學而篇)에서 '學而時習之不亦說乎(배우고 때때로 익히면 어찌 **기쁘지** 아니한가), 有朋自遠方來不亦樂乎(벗이 있어 멀리서 찾아오니 어찌 **즐겁지** 아니한가)'라고 설파했습니다. 공부를 '~說乎, ~樂乎'라고 표현하면서 기쁨과 즐거움을 준다고 이야기하고 있습니다.

"공자 가라사대, 공부는 기쁨과 즐거움을 준다."

그런데 현시대는 공부가 기쁨과 즐거움이 아닌 고통을 주고 있습니다. 공부가 점수경쟁으로 변질되어 옆의 학생을 이겨야 하고, 수많은 대학 중에 오로지 SKY대학을, 수많은 학과 중에 오로지 '의과'만 지망하는 편협한 교육, 국영수 1등급만을 추구하는 '성적 지상주의'로 악에 받친 악성 민원인의 발생은 어쩌면 당연한 결과입니다. 그리고 전인교육이 불가능한 교실로 변했습니다.

우리나라 대표적인 일간지에서 '공교육 멈춤의 날'이 왜 발생했으며 국가적인 차원에서 어떤 방향성을 가져야 하는지는 '일언반구'도 없이, 집회가 끝나고 쓰레기 하나 없이 평화롭고, 질서정연한 집회를 칭찬하는 기사만 올렸습니다.

자칭 대표적인 언론들이 '교사들은 순한 양이라는 식'으로 길들이는 것은 우리나라를 좀먹는 매국노보다 심한 행위입니다. **생각하는 힘**을 빼앗는 행위입니다. 공부 문맹(文盲)으로 생긴 병(病)입니다.

전국의 수많은 선생님이 징계를 각오하고 '공교육 멈춤의 날' 참여가 자명했기에 정상적인 학교 운영이 불가능한 급박한 상황이었습니다.

초·중등교육법 47조 ②항을 적용해서 임시휴업 한 학교장, 병가·연가 사용 교원과 승인한 교장·교감은 '최대 파면·해임'의 징계를 처분하겠다고 강경하게 선언했습니다. 징계를 불사하고 참여한 선생님이 워낙 많으니 선생님들을 보호(?)한다며 징계는 슬그머니 뒤로 뺐습니다. '화합'보다는 '갈라치기'로 학교를 갈등 관계로 만들었습니다. 이 역시 공부 문맹(文盲)으로 생긴 병(病)입니다.

'공부 문맹은 우리 사회 곳곳에 '암' 덩어리로 존재합니다.'

코로나19가 일상적인 생활을 '멈춤'으로써 현재 우리의 삶을 되돌아보게 하였듯이 정상적인 교육을 불가능하게 한 '멈춤'을 반드시 '되돌아봄' & '더 나아감'의 <u>생각</u> 기회로 삼아야 합니다.

대한민국은 언론의 자유가 있음에도 현직 교장으로서 서슬 퍼런 윗분들의 심기를 건드리지 않으려고 눈치 보며 글을 쓰려니 가뜩이나 졸필인데 더더욱 졸저(拙著)가 될까 염려됩니다.

또한 담임 선생님 교실 및 각종 교실을 방과후교육 교실로 양보하고 보따리장수처럼 떠돌게 한 가슴 아린 학교의 마음을 모르고, 학교가 자신들을 '복도의 유령'으로 만들었다며 학교를 원망하는 방과후 업체 종사자와 강사님들, 돌봄교실에 종사하는 실무사님들 마음에 상처를 주지 않을까 걱정됩니다.

'우리나라는 '암'을 치유할 수 있는 '앎'이 넘치는 사회입니다.'

하지만, 대한민국은 위기 극복을 하면서 회복탄력성을 키워왔습니다. 이제는 충분히 돌봄과 학생 특기 교육 신장에 대한 사회간접자본 확충을 예산 및 운영할 힘이 있습니다. 그러므로 돌봄과 특기 적성 교육이 공교육과 서로의 상생을 위해서, 그리고 국가의 더 큰 대의(大義)를 위해 이 글을 썼음을 넓은 식견으로 이해하실 분이 넘치는 사회입니다. 압축된 근대화는 학교에도 음과 양의 양면을 가져왔습니다. 우리는 음을 양으로 바꿈의 지혜를 갖춘 '앎'을 실천할 수 있는 나라입니다.

"우리나라는 사람과 사람이 더불어 희망을 품을 수 있는 멋진 사람들이 넘치는 터전입니다. 위기를 위대한 기적으로 만드는 나라입니다. 선생님들이 계시기 때문입니다."

- 공교육 멈춤의 날에 대한 선생님들의 -

양해 & 해량의 변(辯)

-양해(諒解) : 남의 사정을 잘 헤아려 너그러이 받아들임
-해량(海諒) : 바다와 같은 넓은 마음으로 너그럽게 양해함

♣ 씨앗처럼 정지하라, 꽃은 멈춤의 힘으로 피어난다

♣ 공교육 멈춤의 날, 양해 & 해량 기원

상식 & 신념 1. 선생님은 높은 자부심이 있다

상식 & 신념 2. 선생님의 중심에는 학생이 있다

상식 & 신념 3. 선생님의 권리 보호는 학생을 위함이다

상식 & 신념 4. 선생님은 국가의 성장 동력에 함께했다

상식 & 신념 5. 선생님은 학교가 전부이다

상식 & 신념 6. 선생님의 소박하나 원대한 꿈은 교육이
가능한 학교, 올바른 교육이 가능한 교실이다

씨앗처럼 정지하라, 꽃은 멈춤의 힘으로 피어난다

"인디언들은 타고 달리던 말을 가끔 멈춰 세우고 뒤돌아본다. 너무 빨리 달려서 말을 탄 몸의 영혼이 따라오지 못할까 봐 잠시 기다린다."

서구의 국가가 2, 3세기 동안 달성한 산업화를 우리나라는 쉼 없이, 숨 가쁘게 달려 반세기 만에 이뤘다. 압축된 근대화는 사춘기 청소년의 몸집이 커진 만큼 정신적인 영혼의 성장은 따라오지 못한 것과 같다.

시인 백무산은 시(詩) '정지의 힘'에서 씨앗은 멈춰있는 것 같지만 꽃을 피우기 위해 기다리는 것처럼, 누구에게나 도약을 위한 멈춤의 시간이 필요함을 설파(說破)했다. '기차를 세우는 힘, 그 힘으로 기차는 달린다', '시간을 멈추는 힘, 그 힘으로 우리는 미래로 간다', '세상을 멈추는 힘, 그 힘으로 우리는 달린다'라는 구절은 멈춤의 힘이 절실히 필요함을 노래한 거다.

더 높은 도약이 절실한 대한민국의 교육은 '근대화만'을 위해 숨 가쁘게 달렸던 것을 잠시 멈추고 되돌아보는 시간이 필요하다. 우리는 교육을 통해서 무엇을 원하는 것일까? 우리나라 교육이 가고자 하는 방향은 어디인가? 학생을 위한 교육인가 아니면, 교육이라는 이름만을 위한 교육인가?

"멈춤·되돌아봄, 그리고 바른 방향으로 나아가야 할 것이다."

공교육 멈춤의 날, 양해 & 해량 기원(祈願)

- 상식(常識) : 사람들이 보통 알고 있거나 알아야 하는 지식
- 신념(信念) : 굳게 믿는 마음

"선생님들은 상식 & 신념이 있습니다."

하나. 선생님은 높은 자부심이 있다.

하나. 선생님의 중심에는 학생이 있다.

하나. 선생님의 권리 보호는 학생을 위함이다.

하나. 선생님은 국가의 성장 동력에 함께했다.

하나. 선생님은 학교가 전부이다

하나. 선생님의 소박하나 원대한 꿈은 교육이 가능한 학교,

올바른 교육이 가능한 교실이다.

그러므로 선생님들의 '공교육 멈춤의 날'은
"집단 이기심이 아닌 학생과 교육을 위한
공부 문맹 사회 탈출의 선언이다."

"본 장(障)에서는 저자(著者)가 생각하고 믿는 상식(常識)에 의해
씁니다. 상식은 또한 저자의 주관적인 신념일 수 있습니다.
그러므로 가장 보편적인 내용이라고 할 수는 없습니다"

상식 & 신념 1.
하나. 선생님은 높은 자부심이 있다.

"공부 문맹은 좋은 대학에 진학하기 위해 국영수 시험 1등급을 목표로 하는 것만을 공부라고 한다. '공부 문맹' 사회는 학교를 보육 기관, 방과후학교로 둔갑시키며 선생님들의 자부심을 훼손한다."

우리나라는 선생님이라는 직분(職分)인 직(職)에 대해 성직자, 전문직, 노동자인 세 가지 관(觀)으로 갑론을박 이야기한다.

미성숙한 학생들을 지도하기에 '교직 = 성직'이라는 도식으로 보는 성직자관, 교육학을 체득하여 학생들을 지도하기에 전문직으로 보는 관, 임금(賃金)을 목적으로 근로를 제공하기에 노동직으로 봐야 한다는 것이다.

하지만 우리나라는 고무줄 잣대로 교직을 본다. 노동자(근로자)이지만 헌법에서 정한 단결권, 단체교섭권, 단체행동권이 없고, 경제적·직업적인 사회적 대우는 미진하면서 사명감이나 근무태도 등에는 수준 높은 책무성을 내세운다. 또한 내·외부에서 교사의 질적 제고를 독려(?)하기 위해 전문직으로서의 교직을 논하면서도 교육정책 및 법안 수립에서는 교사의 의견 반영은 미미하다.

성직자관으로서 교직의 잣대는 매우 엄격하다. 일반시민이 죄를 저질렀을 때와 선생님이 범죄를 저질렀을 때 사회적 시선의 차이는 엄청나다. 교사보다도 더욱 도덕성이 필요한 정치인이 저지른 것보다 더 심한 눈초리가 쏟아진다. 일반인이 음주운전으로 법을 어겼을 때는 국가에서 정한 벌을 받으면 되지만 선생님은 내부에서 추가적인 또 다른 징계를 받는다. 그 벌이 선생님이라는 직을 유지하는 데 혹은 연금 수령에서 매우 치명적이다. 특히 성희롱·성매매 등 성범죄를 범했을 때 사회적 지탄, 수치심뿐 아니라 승진, 담임 배정 등에 제재가 되기에 평범한 교사로 걸을 수 있는 복귀는 불가능하다.

무서운 형벌은 목사님, 신부님, 스님의 수준을 요구하고 권리는 일반 시민, 일반 노동자의 권리도 없다. 피선거권도 없으며 정치적 행위가 허용되지 않는다. 연금 수령액이 적은 국민 대다수의 힘을 등에 업은 정치인에 의한 각종 가위질로 박봉을 매달 때서 부은 연금도 맘대로 받지 못하게 선생님들의 경제적 보루마저 헤집어 놓는다.

스승의 날이 다가오면 TV PD 수첩 등에서는 기다렸다는 듯이 교사들이 촌지로 부를 축적한다는 듯이 학교와 교직을 신랄하게 비판하곤 했다. 그러기에 진실을 모르는 학생과 학부모는 학교와 선생님들에 대한 존중이 사라졌다.

이러한 부당함 속에서도 선생님들은 '내가 그래도 선생님이다'라는 자존심이 아닌 자부심이 있다. 그 자부심이 한강의 기적을 일으켰고, 박봉(薄俸)이지만 학생들을 성장시킨다는 뿌듯함으로 지내왔다.

그 자부심이 공부 문맹 사회로 침몰 되어가는 대한민국 공교육의 '골든타임'을 지켜내기 위해 '멈춤'을 선택한 것이다.

상식 & 신념 2.
하나. 선생님의 중심에는 학생이 있다.

"공부 문맹은 내신 1등급, 수능 1등급 컷으로 학생을 서열화, 등급화한다. 공부 문맹 사회로 선생님의 중심이자 대한민국의 미래인 학생들이 위기에 처해있다."

부모님들이 동창이나 이웃들을 만나서 이야기하다 보면 으레 자식이 원수라고 푸념하곤 한다. 그 말속에는 누구도 넘보지 못하는 사랑의 감정이 함께 묻어 있다는 것을 누구나 알고 있다. 틈만 나면 그 '원수' 자랑이 쏟아지곤 하는 것이 다반사이다.

선생님들도 학교에서나 학교 밖에서 모이기만 하면 학생·학급 이야기로 꽃을 피운다. 너무 힘이 들 때 농담 삼아 선생님이라는 직은 학생만 없으면 참 좋은 직장이라고 하지만, 정작 학생들 앞에 서면 신명 난 모습이요 아프거나 힘들어했던 모습이 온데간데없이 사라지며 눈이 반짝인다.

반별 축구 시합, 반별 피구 시합, 반별 발야구 시합, 반별 이어달리기 시합......

학생들은 결정된 승패로 온갖 얼굴이 상기되어 있다. 승자는 승자대로 기쁨과 환희의, 패자는 패자로서의 울분을 삭인다. 담임 선생님은 학생들에게 승리보다는 최선을 다한 것이 더 중요하다고 학급 학생들을 위로한다. 교육자로서의 위엄으로……. 하지만, 속 마음은 쓰라리다. 다음에 있을 반별 대항에서 이길 방법을 생각하면서 각오를 다진다.

옆 반 학생에게 자기 반 아이가 맞고 오면 눈에서 불똥이 튄다. 쫓아가서 혼내주고 싶다. 옆 반 선생님이 내 반 아이의 잘못을 꾸짖으면 이해가 되면서도 속이 너무너무 상한다. 그래서 엄마의 마음, 아빠의 마음으로 따지고 싶다. 하지만, 못한다. 선생님이니까.

며칠째 학교에 안 오는 학생의 책상을 근심 어린 얼굴로 바라본다. 연락도 안 되고 무슨 일이 있는 걸까? 부모님 사업이 안되어서 혹은 월세 집에서 쫓겨나서 다른 동네로 갔는지 알 수가 없기에 선생님 속은 새까맣게 탄다.

퇴근길에 골목 어귀에서 뛰어노는 아이들을 보면 뒤통수만 봐도 누구인지 안다. 교실에서 봐도 복도에서 봐도, 우리 반 아이는 알아볼 수 있다. 그러면서 미소가 씨익~, 입고리가 올라간다.

선생님은 언제 어디서든지, 자나 깨나 자기 반 학생이다. 학생들 앞에서는 원더우먼, 홍길동, 심청이, 그 무엇도 될 수 있다. 학생들은 웬수가 아닌 우물가에 빠질듯한 아기 같은 존재, 어깨가 넓고 듬직해서 미래가 기대되는 존재, 똑순이 같은 당당함이 자랑스러운 존재…. 모두가 나의 제자, 나의 학생들이자 나의 중심이다.

그 제자들의 지금과 미래를 위해서 '멈춤'을 선택해야만 했다.

상식 & 신념 3.

하나. 선생님의 권리 보호는 학생을 위함이다.

"공부 문맹은 자녀 뒷바라지하는 부모의 경제적·정신적 여유를 훼손한다. 공부 문맹 사회는 학부모를 극단으로 치우치게 했다."

청출어람이청어람(靑出於藍而靑於藍) 이라~

푸른색이 쪽에서 나왔으나 쪽보다 더 푸르다는 뜻으로, 제자가 스승보다 더 나은 것을 비유하는 말이다. 푸르른 색이 나오는 원천으로서의 푸르른 쪽(藍, 푸를 람)인 선생님이 훌륭해야 훌륭한 제자가 나오는 법이다.

학생들에게 성직자와 같은 입장으로, 전문직으로, 근로기준법이 적용되는 신성한 근로자의 입장으로 정당한 권리가 보호되어야 학생들은 오롯이 선생님의 쪽 빛에서 푸르름을 뽐낼 수 있다. 그래서 선생님들은 학생들을 위해 자신들의 권리를 찾고 보호받아야 한다.

예로부터 고관대작이라 하더라도 자기 자녀의 선생님에게 머리를 숙인다. 그것은 부모가 직접 자기 손으로는 올바른 지도가 힘들기에 그것을 대신해주는 분에 대한 존중, 더 나아가 자녀가 선생님에 대한 지극한 존경심을 가질 때 배움과 깨달음이 더욱 높아진다는 것을 아는 부모의 모습이다. 또한 그들은 진정으로 선생님에 대한 존중과 경외심을 가졌기에 그리했을 것이다.

성적 지상주의 사회에서 다른 아이들에게 내 자녀가 처지면 안 된다는 강박관념에 사로잡힌 학부모 중 일부는 앞뒤를 분간할 여유가 없어 보인다. 선생님과 학교를 바라보는 시선에 가시가 돋친 경우가 증가하고 있다. 학교와 선생님의 교육할 권리에 빨간불이 켜진 지 오래다.

자기 아이만을 아는 극도의 이기심으로부터 출발된 선생님에 대한 가스라이팅, 폭언, 협박, 심지어 신체적 상해 등은 선생님들의 교육할 권리에 심각한 위협을 주고 있다. 게다가 아동학대 처벌법을 교직에도 적용하는 사회적 실수와 교육이 불가능할 정도의 무분별한 적용은 악성 민원인이라는 사회적 이슈를 만들어냈다.

어머니가 어머니로 존중과 보호를 받을 때, 아버지가 아버지로 당면한 권리와 존경을 보호받을 때 부모로서 올바른 자녀 교육이 이뤄질 수 있다. 사회는 각자의 위치에서 각각의 고유 권한이 존중될 때 올바른 사회, 정의로운 사회가 가능해진다.

그래서 선생님들이 교권 보호를 통해 학생들의 학습권과 인권을 지켜내기 위해 뜨거운 태양이 작열하는 아스팔트 바닥에 앉았고, 교육을 멈춰 세우는 결단을 내린 것이다. 학생들을 보호하기 위해 선생님의 권리를 외친 것이다.

상식 & 신념 4.

하나. 선생님은 국가의 성장 동력에 함께했다.

"공부 문맹은 SKY대, 의대만을 목표로 한다. 공부 문맹 사회는 다양성 없는 획일적인 사회, 편협한 사회를 만들었다."

우리나라에 최초의 차관을 제공한 독일로 남자는 광부로, 여자는 간호사로 외화를 벌어들이며 조국의 가난을 이겨내는 데 보탰다. 월남전에 참전한 군인들의 목숨을 담보로 벌어들인 외화는 경부 고속도로를 건설했고, 중동으로 진출한 노동자들이 40도가 넘는 날씨에 땀 흘려 벌어들인 돈은 우리나라를 중진국으로 이끌었다.

국내에서는 문맹 퇴치와 인재 양성을 위해 선생님들이 사명감과 사도의 정신으로 대한민국의 미래 주역들을 키워냈다. 개인의 성장과 국가의 발전을 이끄는 근간으로 '한강의 기적'으로 불리는 놀라운 발전의 길을 걸어온 한국의 저력은 교육의 주체, 선생님에게서 나온 것이라고 자타가 공인한다.

유네스코가 주최하는 2015 세계교육포럼(World Education Forum)은 교육 분야 최대 국제 행사에서 대한민국의 성장 동력은 교육에 있다고 평(評)했다.

이리나 보코바 유네스코 사무총장은 "한국은 교육에 대한 확고한 의지 덕분에 전쟁으로 폐허가 된 나라에서 선진국으로 우뚝 섰다"라고 했다. 노벨 평화상 수상자인 카일라시 사티아르티는 "대한민국은 교육을 통해 어떻게 발전을 이룰 수 있는지 그 어떤 국가보다 잘 보여줬다"라며 한국의 성취를 높이 샀다.

앤서니 레이크 유니세프 총재는 "내가 기억하는 1950년대 한국은 외국의 원조를 받는 나라였다. 이제 한국은 '한강의 기적'으로 경제성장을 이루고 다른 나라를 돕는 나라가 됐다. 이것은 교육의 결과다."라고 말했다. (대한민국 정책브리핑(www.korea.kr) https://www.korea.kr/news/policyNewsView.do?newsId=148795562)

일제강점기에 농촌계몽에 앞장선 상록수(심훈, 저(著))의 채영신과 박동혁처럼 선생님들은 6.25 전쟁으로 전 국토가 폐허로 무너진 세계 최빈국(最貧國)을 지금의 잘사는 대한민국으로 성장시켰다.

햇빛만 가려주는 천막에서 출발한 열악한 교육 환경에 굴하지 않았으며 등록금이 없는 학생을 위해 몰래 자신의 박봉을 쪼개신 선생님, 교과서와 참고서를 사주신 선생님, 학교 안 보내려는 부모를 설득한 선생님, ...

대한민국의 인재들은 선생님들의 헌신과 사랑으로 탄생했고, 그 인재들의 가슴 속에는 '고마우신 선생님'의 잔영이 남아있는 것이다. 선생님들은 언제나 개인의 이익보다 헌신적으로 국가가 나아가고자 하는 방향에 함께 힘을 실었다.

이제는 더 높은 도약을 위해, 대한민국의 미래의 지속가능발전을 위해 선생님들은 '멈춤'을 선택한 것이다.

상식 & 신념 5.
하나. 선생님은 학교가 전부이다.

"청일전쟁(淸日戰爭)은 우리 땅에서 청나라와 일본이 일으킨 전쟁이다. 우리나라는 청나라와 일본의 전쟁터가 되어 풍도 해전, 평양 전투, 황해 해전, 우금치 전투, 압록강 전투 등이 발발했다. 전쟁으로 국토는 황폐해졌고 재산·인적 피해는 조선의 백성들에게 고스란히 돌아갔다. 아무런 죄가 없음에도 ….."

지금의 학교 모습이다. 학교가 삶의 터전이며 전부인데, 선생님이 역사 속의 청일전쟁 피해자가 되고 있다. 청나라와 일본의 이익과 조선의 지도자들의 섣부른 판단이 우리 국토에서 전쟁을 일으켜 백성들의 피해가 컸던 것처럼, 돌봄과 사교육비 절감을 위한 선택이 선생님들을 떠나게 하고 있다.

근래까지 교육대학 졸업 및 교육학을 전공하고 교직에 들어선 20대의 선생님들은 대부분 수십 년의 교직에서 한눈팔지 않고 천직으로 생각하고 이직을 꿈도 꾸지 않는 것이 보편적이었다. 도중하차라는 표현이 적절할 정도로 교직을 떠나는 선생님들이 극소수였다. 그런데 이제는 상황이 급변했다.

한국교육개발원 교육정책네트워크의 '초·중·고등학교 교사들의 교직 이탈 의도와 명예퇴직자 증감 추이' 통계보고서를 보면, 2005년 초·중등학교 교사 명예퇴직자 수는 879명이었지만 2021년 6,594명으로 7.5배 수준으로 뛰어올랐다. 교사노동조합연맹이 지난 5월 교원 1만1,377명을 대상으로 실시한 설문 조사에 따르면 87%가 최근 1년간 이직 또는 사직을 고민한 적이 있다고 응답했다고 한다.

지금부터 50여 년 전인 1971년 미국의 교육학자 에버레트 라이머(1981, 김석원 譯)는 '학교는 죽었다(School is dead)'에서 "오늘날의 학교는 국가에 의해 운영되고 있다. 따라서 학교는 국가의 이념을 가르치고 교육이 높은 수준에 이를수록 통치, 지배 방법을 가르침으로써 국가에 봉사하는 자질을 길들인다. 마치 중세의 국교와도 같은 존재가 된 학교는 모든 가치, 규범을 규정하는 사회의 재판소가 되어 강력한 힘을 갖고 있다."라고 했다.

국가의 전권(全權)으로 운영되는 학교는 최고는 아니더라도 최선의 방향타를 설정하고 있는지 염려된다. 에베레트 라이머의 50년 남짓의 세월 전의 주장이 현재 변함이 없거나 더욱 큰 권한을 국가가 발휘하는 것이 바람직한지에 대한 고찰이 필요하다.

2,000년대에 들어서 학교를 내주면서 셋방살이(?)처럼 시작된 돌봄과 방과후교육은 분가하지 않고 지금은 더 확대되고 있다. 방과후학교 강사는 여러 여건을 들어서 학교를 원망하고, 정부는 학교에 역할을 더 부여하며 책임까지 더 물으려 한다. '청일전쟁'의 피해처럼, 장소를 제공했던 죄 밖에 없는 학교가 도마 위에 오르곤 한다.

학교가 전부인 선생님들의 갈 곳을 없게 만들고 있다.

상식 & 신념 6.

하나. 선생님의 소박하나 원대한 꿈은
교육이 가능한 학교, 올바른 교육이 가능한 교실이다.

"공부 문맹은 학생을 1등급 4명과 1등급이 아닌 96명으로 편가르며 학생들 스스로 존중하지 못하는 부정적 자아를 형성한다. 공부 문맹 사회는 헬조선을 만든다."

어떤 학생이 입에 담지 못할 욕과 함께 발과 주먹을 마구 휘두르며 친구를 때린다. 그 학생을 말리려고 사이에 비집고 들어간 선생님도 학생의 주먹에 맞는다. 때리는 학생을 말리려고 그 학생의 손목을 꽉 잡고 밀쳐낸다. 손목에 과중한 힘을 가했기에 신체에 폭력을 가한 아동학대이다. 그 학생이 여학생이고, 말린 선생님이 남자 선생님이라면 성추행도 추가된다.

수업 시간에 소란을 피우며 여기저기 돌아다니며 학업을 방해한다. 옆자리, 앞자리, 뒷자리 친구들에게 온갖 간섭을 한다. 그러다 다툼도 발생한다. 선생님이 다소 큰 목소리로 'ㅇㅇㅇ' 이름을 부르며 자기 자리로 돌아갈 것을 지도한다. 이름을 부름으로써 많은 학생들이 있는 곳에서 수치심을 일으켰다고 정서적 아동학대이다.

학교폭력이 발생하면 변호사를 선임해서 끝까지 자녀를 변론

(가해 혹은 피해)하다가 재판에서 지게 되어 가해 학생 혹은 피해 학생이 아니라고 판명되면 이제 책임질 사람을 찾는다. 바로 담임 선생님 혹은 학교이다. 학생 지도 소홀이나 여타의 꼬투리를 찾아서 물고 늘어진다. 담임 선생님에 대한 존중도 없고, 학교에 대해서도 안하무인이다. 수업 시간, 쉬는 시간 가리지 않고 전화한다. 퇴근 후에도, 휴일에도 전화한다. 문자메시지와 카톡도 보낸다.

소수의 학생과 학부모로 선생님과 학교의 교육권은 물론이거니와 나머지 학생들의 학습권도 더 나아가 인권도 무참히 짓밟힌다.

선생님들은 학교를 아름답게 가꾸고, 새 건물로 치장하는 교장 선생님과 교육청보다 자기들을 이해하고, 자신들의 편이 되어주기를 바랄 뿐이다. 선생님들은 예산이 펑펑 지원되는 혁신학교도, 매년 학교를 뜯어고치라고 보내는 예산도, 승진 가산점 받는 연구학교도 전자칠판도, 새로운 컴퓨터도, 넘쳐나는 학습자료도, 재정이 지원되는 교실도 원하지 않는다.

집단지성의 도움 없이 학교를 돕는다고 몇 명의 TF팀 혹은 개별 장학사나 주무관이 세운 계획은 학교를 위기로 몰아넣곤 한다. 그 정책으로 학교 교직원끼리는 업무 펑퐁으로 갈등이 증폭된다. 교육부와 교육청의 도움은 신중해야 한다.

교육이 가능한 교실, 교육이 가능한 학교를 간절히 원하기에 선생님들은 멈춤을 선택하였다.

Insight · 통찰(洞察)

-공교육 멈춤의 날은 공부 문맹 탈출이자 혁명이다

※ '**공부 문맹**'이란, '좋은 대학에 진학하기 위해 국영수 시험 1등급을 목표로 하는 것'만을 공부라고 하는 것임을 말씀드립니다.

공교육 멈춤의 날은 '생각하기' 혁명이다

우리 교육은 '생각하기'를 멈춘 지 오래다.

조금만 생각해 본다면, 교육기본법과 초중등교육법이라는 상위법을 무시하고 초중등교육과정 총론의 지극히 일부분에 '돌봄과 방과후 교육'을 끼워넣기 하는 우(愚)를 범해서는 안 된다.

아주 조금만 생각해 본다면, 좋은 대학에 진학할 숫자는 정해져 있기에 수많은 패배자, 실패자를 양산하는 교육에 막대한 돈과 시간을 낭비하고 있다는 걸 알 수 있을 것이다.

2014년 엘빈 토플러는 한국 방문에서 다음과 같이 조언했다.

"한국 학생들은 학교와 학원에서 미래에 필요하지도 않은 지식과 존재하지도 않을 직업을 위해 하루에 15시간을 낭비하고 있다."

아주아주 조금만 생각해 본다면, 세계적인 석학의 경고(?)에도 불구하고 그 후 10년 가까이 흘렀으나, 대한민국의 공·사교육은 더 지독한 입시지옥으로 치닫고 있음을 알 수 있다.

친구와 우정을 쌓는 존재가 아닌 경쟁자이고, 끝을 모를 어두운 터널을 향해 달리는 자녀의 뒷바라지에 허리가 휘는 학부모.

법으로 보장된 학교와 선생님의 역할이 존중받지 못하고, 극심한 경쟁의 공부 문맹 사회에 악성 민원인은 어쩌면 당연한 결과다. 이에 선생님들이 결연히 '멈춤'을 선언했고, '생각하기'를 선언한 혁명이 일어났다. '공부 문맹 탈출'은 '생각하기'에서 시작된다.

돌봄과 방과후학교의 근거는 무엇인가?
-돌봄과 방과후학교 모두 포함한 초등학교 중심으로-

"교육기본법과 초·중등교육법에서 초등학교는 의무교육이며 학교는 교육과정을 운영한다. 돌봄과 방과후학교 운영은 의무교육과 교원의 전문성 존중과 관계없다."

교육기본법 제8조(의무교육) ① 의무교육은 6년의 초등교육과 3년의 중등교육으로 한다. 제9조(학교교육) ① 유아교육·초등교육·중등교육 및 고등교육을 하기 위하여 학교를 둔다. ② 학교는 공공성을 가지며, 학생의 교육 외에 학술 및 문화적 전통의 유지·발전과 주민의 평생교육을 위하여 노력하여야 한다. ③ 학교교육은 학생의 창의력 계발 및 인성(人性) 함양을 포함한 전인적(全人的) 교육을 중시하여 이루어져야 한다. 제14조(교원) ① 학교교육에서 교원(敎員)의 전문성은 존중되며, 교원의 경제적·사회적 지위는 우대되고 그 신분은 보장된다. ② 교원은 교육자로서 갖추어야 할 품성과 자질을 향상시키기 위하여 노력하여야 한다. ③ 교원은 교육자로서 지녀야 할 윤리의식을 확립하고, 이를 바탕으로 학생에게 학습윤리를 지도하고 지식을 습득하게 하며, 학생 개개인의 적성을 계발할 수 있도록 노력하여야 한다. <개정 2021. 3. 23.>

초중등교육법 제23조(교육과정 등) ① 학교는 교육과정을 운영하여야 한다. 제38조 (목적)초등학교는 국민생활에 필요한 기초적인 초등교육을 하는 것을 목적으로 한다.

"초중등교육과정은 아래와 같이 고시한다. 아래 내용을 볼 때 돌봄과 방과후학교 운영의 근거가 예상되는가?"

초중등교육법 제23조제2항, 제48조 및 국가교육위원회법 부칙 제4조에 의거하여 초중등학교 교육과정을 다음과 같이 고시합니다.

2022년 12월 22일
교육부 장관

1. 초중등학교 교육과정 총론은【별책 1】과 같다.
2. 초등학교 교육과정은【별책 2】와 같다.
5. 국어과 교육과정은【별책 5】와 같다.
6. 도덕과 교육과정은【별책 6】과 같다.
7. 사회과 교육과정은【별책 7】과 같다.
8. 수학과 교육과정은【별책 8】과 같다.
9. 과학과 교육과정은【별책 9】와 같다.
10. 실과(기술.가정)/정보과 교육과정은【별책 10】과 같다.
11. 체육과 교육과정은【별책 11】과 같다.
12. 음악과 교육과정은【별책 12】와 같다.
13. 미술과 교육과정은【별책 13】과 같다.
14. 영어과 교육과정은【별책 14】와 같다.
15. 바른 생활, 슬기로운 생활, 즐거운 생활 교육과정은【별책 15】와 같다.
24. 창의적 체험활동 교육과정은【별책 40】과 같다.

"[별책1] 초중등학교 교육과정 총론의 차례이다. 아래 내용을 볼 때 돌봄과 방과후학교 운영의 근거가 예상되는가?"

"초중등교육과정 총론의 Ⅰ,Ⅱ, Ⅲ에서도 돌봄과 방과후학교 운영의 근거가 없다. 교육기본법·초중등교육법의 상위법에도 근거가 없음에도 초중등교육과정 총론의 마지막 부분 Ⅳ의 2. 학습자 맞춤교육 강화, 국가 수준의 지원도 아닌 교육청 수준의 지원 1)항, 마) 바)에서 근거를 두었다"

Ⅳ. 학교 교육과정 지원
· '학습자 맞춤교육 강화'에서는 다양한 특성을 가진 학습자들의 학습을 지원하는 데 필요한 사항을 제시한다.
2. 학습자 맞춤교육 강화
가. 국가 수준의 지원
나. 교육청 수준의 지원
 1) 지역 및 학교, 학생의 다양한 특성을 반영하여 학교 교육과정이 운영될 수 있도록 지원한다.
 마) 지역사회와 학교의 여건에 따라 초등학교 저학년 학생을 학교에서 돌볼 수 있는 기능을 강화하고, 이에 대해 행·재정적 지원을 한다.
 바) 학교가 학생과 학부모의 요구에 따라 방과 후 또는 방학 중 활동을 운영할 수 있도록 행·재정적 지원을 한다.

공부 문맹 사회에서 '끼워 넣기식의 정책 수립'은 학교 존재의 목적을 뒤흔들었고, '늘봄학교'의 밀어붙이기식 정책으로 이제 더욱더 흔들고 있다. 돌봄과 방과후교육은 상위법에 근거할 때 공교육 영역이 아님은 자명한 사실이다. 행·재정적 지원은 말뿐으로 매우 슬픈 현실이다.

'초등학교 저학년 학생을 학교에서 돌볼 수 있는 기능을 강화', '학생과 학부모의 요구에 따라'라는 조항은 학교 교육의 근간이 흔들리고 학교와 학부모 사이의 갈등 구조를 조장하고 있다. 학교에 모든 책임을 떠넘기는 것을 법제화한 것이다.

공부 문맹이 악성 민원인을 만들었다
-악성 민원인은 숙사(塾師)와 스승의 구별이 없다-

오바마 대통령(2009~2017)이 한국 교육에 대해 부러움과 관심이 높았다는 사실을 알고 있다. 그가 관심을 가진 분야는 '교육열'이지 국영수 1등급을 추구하는 '공부 문맹'의 교육이 아니다. 흑인 비율이 높은 시카고 등과 같은 비참한 지역, 비참한 학교를 재활시켜야 한다는 절박한 목표라는 특수한 맥락에서 교육열이 높은 것에 관심이 높았음을 간과하고 있다.

2014년 한국을 방문한 엘빈 토플러는 한국 학생들이 24시간의 하루 중 잠자는 시간을 제외한 모든 시간에 낭비하는 영역은 인지적 영역에 국한된다고 지적하였다. 획일화된 교육은 학생을 등급으로 나누어 부진아, 열등아, 우수아 등의 구별을 짓게 마련이다.

'아이의 미래를 바꾸는 학교혁명'에서 켄 로빈슨은 타고난 아이의 창의력을 학교가 죽인다며 획일적인 교육은 표준을 잘 따라오는 소수 학생만 키워내며 학생 모두가 각자의 재능을 키울 수 있는 교육과는 동떨어져 있다고 했다.

10여 년 전에 미래학자 앨빈 토플러가 지적한 한국 교육의 현실은 시험 점수를 얻기 위한 교육, 대학 입시를 위한 교육으로 더욱더 퇴락해버린 지 오래다. 시대는 변하는데 우리나라 교육은 앞으로 나아감 없이 후퇴하고 있다. 학교는 서로 서로의 상생이 아닌 원(win)-루즈(lose)의 전쟁터로 변했다.

"세상에서 성공하는 길은 오직 하나라는 식의 교육은 다양성이나 가치 있는 이상적인 교육이라고는 생각할 수 없다. 그래서 예술적인 감각을 가지고, 창조적인 사고를 하는 사람들은 갈 곳이 없어 보이기까지 한다. 또 하나 지적하고 싶은 것은 한국의 교육은 그 목적이 시험에 있는 것처럼 보인다는 것이다. 실생활에서의 비판적인 사고, 창의성과는 거리가 멀다."(매일경제, 1999, '한국인을 말한다'. 마이클 브린)

대학 수능 과목의 수업 시간 중에 흔히 하는 질문 중에는 "선생님, 그거 시험에 나오나요?"가 있다. 시험에 나오지 않는 내용은 배울 필요도 없고, 신경 쓸 겨를도 없기에 묻는 것이다. 수능 과목이 아닌 교과 과목을 경시하고 무시하는 건 당연하다. 특정 학생의 입시에만 영향 있는 음악·미술·체육 등의 과목은 집중 이수로 학기 중에 한 시간의 수업 시간이 없기도 하다. 공부 문맹 사회는 학생과 선생님의 잘못이 아니다. '공부=시험', '시험이 목적인 교육'은 우리 사회 모두의 책임이다.

극도의 경쟁만 시키는 공부 문맹은 공교육을 무력감에 빠지게 하고 사교육비를 증가시켜 악순환적인 '도미노' 현상을 불러왔다.

'사교육비 부담으로 출산률 0.78명, 인구 절벽 국가'
'학생의 행복지수 꼴찌, 청소년 자살률 1위, 헬조선'
'책상에 앉아 있는 시간 1위, 잠 부족 1위, 노벨상 제로'
'여성지수 꼴찌, 명품소비액 1위, 노인 자살률·빈곤률 1위'

지덕체(智德體)의 전인교육은 교과서에나 나오는 슬픈 현실로 그런 교육을 하는 스승을 원하지도 않거니와 찾아보기 또한 쉽지 않다. 참된 교육의 스승보다는 국영수 1등급으로 이끌어주는 1타 강사, 1타 교사를 원한다. 영어단어 하나 더 외우고, 수학 문제 하나 더 풀어 SKY대, 그것도 의대(醫大)에 진학해야 하는데, 품성과 인성은 고려 대상이 아니다. 초·중학교는 국영수 시험 잘 보기 위한 준비 단계의 학교가 되었다. 공교육 현장에서 인지적 영역만 강조되고 비인지적 영역은 보조적인 영역으로 굳이 강조하거나 가르치려는데 힘을 쏟지 않는다.

　공부하는 학생 = 국영수 시험 준비하는 학생
　공부 잘하는 학생 = 내신 1등급, 수능 1등급 컷
　공부 아주 잘하는 학생 = 내신 & 수능 1등급 & 의대 합격생

　'스승의 그림자도 밟지 않는다'라는 속담이 있다. 요즘에는 '스승의 그림자는 밟지 않고 스승을 밟는다'라는 자조적인 말이 생겼다고 한다. 교사의 위상과 교권이 땅에 떨어졌다는 말이다.
　조선시대에 숙사(塾師)라는 직업이 있었다. 남의 집에 살면서 그 집 자제들을 가르치는 일종의 입주(入住) 가정교사이다. 숙사의 입장에서 학생은 고용주의 자제(子弟)이므로 함부로 대할 수 없으니 꾸짖거나 회초리는 엄두도 내지 못한다. 글방의 가정교사에게 스승의 권위가 없는 것은 당연한 결과이다. 반면에 스승은 직업이 아니었으며 전통적인 사제 관계는 오로지 존경과 신뢰로 맺어졌다.

직업의 다양화·세분화로 누구나 직업을 가져야만 하는 시대의 도래로 숙사와 스승의 구별이 쉽지 않다. 인지적 영역 지도에 치중하며 국영수 1등급을 맹신하는 공부 문맹 시대에 스승을 자처했다가는 교단에 서 있기조차 힘들다. 스승은 높은 통찰력으로 교육을 바라보며 학생들과 교감을 하는 존재이다. 학생들의 인지적 능력의 성장을 위해 힘쓰지만, 그 바탕에는 사랑과 존중을 할 수 있는 학생으로의 성장이 근본이다.

닭이 먼저인지, 달걀이 먼저인지 구별 짓기가 힘들 듯이 학교는 점수 경쟁·등급 경쟁의 전쟁터(?)로 변질이 되고, 선생님은 숙사의 존재로 폄하되면서, 인권이라는 미명(美名)하에 악성 민원인이 판을 치기에 이르렀다. 극소수의 악성 민원인은 다른 학생들의 학습권과 선생님들의 교육권을 송두리째 앗아갔고 학교 현장은 전인교육이 실종되었다.

교육 현장에서 항상 선생님 스스로 자신이 스승의 모습인지, 숙사의 모습인지를 되돌아보며 학생들과 학부모를 악에 받치게 하는 전쟁터에서 구해내야 한다.

하지만 악성 민원인은 참스승이건, 글방 가정교사이건 가리지 않고 돌진한다. 그러기에 더더욱 생각하는 힘을 키우는 교육이 필요하다.

공교육 멈춤의 날은 혁명이다
-멈춰야 비로소 보인다.-

2023.9.2.(토) '공교육 멈춤의 날' 예고 마지막 집회

늦여름과 초가을이 교차하는 뜨거운 태양 아래 검은 옷을 입고 여의도 국회의사당 앞에 30여만 명의 교육 가족이 모였다. 전국 각지에서 대형 전세버스를 타고 온 선생님들도 참여했다. 9호선 국회의사당역과 여의도역은 플랫폼에서 출구를 빠져나오는데도 긴 시간이 필요했다.

간혹 어린 자녀의 손을 잡은 선생님을 포함한 수많은 인파는 지하철역 플랫폼부터 출구 계단, 에스컬레이터에 밀집해 있지만 서두르는 이도 없고, 한치의 소란도 없다. 엄숙한 분위기라서가 아니라 그들의 표정은 담담하면서도 의연한 표정이었다.

벼가 고개를 숙이고 오곡백과가 무르익을 강렬하게 불타오르는 햇빛은 선생님들의 결의에 찬 뜨거운 얼굴에 침잠되는 듯했다. 집회장에는 중간중간에 행사 진행 조끼를 입고 '물 필요하신 분은 손드세요~', '몸이 불편하신 분, 손드세요~'하는 피켓을 들고 다녔다.

안전한 집회, 만일의 사태를 대비해 배치된 경찰들의 표정에서는 긴장감보다는 공감 어린 동지애(?)마저 느껴졌다. 불특정 다수를

급작스럽게 선동하는 외침도, 정부를 비판하는 외침도, 정치인을 비방하는 외침도 없었다. '악성민원인 강경대응', 또 다른 한쪽 면의 피켓에는 '아동복지법 개정'이라는 글이 새겨져 있었다.

2023.9.4.(월) '공교육 멈춤의 날'

위기에 영웅이 탄생하듯이 우리나라 최대 다수의 지적 집단인 선생님들이 난파선이자 세월호가 된 대한민국을 위해 '멈춤'을 선언한 날이다. 군사들을 리드하는 장수가 길을 잃거나 안전한 길을 찾기 위해 병사들에게 멈춤을 명하고 높은 산에 오르거나, 지도를 보며 숙고의 시간을 보내듯이 교육에 대한 숙고의 시간, 그리고 동료 선생님의 억울한 죽음에 대한 추모의 시간을 위해 멈춘 것이다.

세상 사람들은 선생님들의 '멈춤'에도 학생들을 끌어안고 내던지지 않는다는 것을 지켜보았다.

시민들은 교육부에서 공교육 멈춤에 직접적으로 참가하는 선생님, 연가·병가 복무 결재를 하는 교장·교감에게 최대 파면·해임 징계의 강경 대응 예고로 선생님들 사이의 갈등을 조장하려 한 사실 그리고 선생님들은 겁박에 휘둘리는 그렇게 얕은 존재가 아님을 알게 되었다.

선생님들은 집단 이기심 없이 악성 민원을 근본적으로 없애는 법 제정으로 교육과 학생들을 구하고자 했다. 이날도 그간 7번의 집회와 마찬가지로 2019년 스웨덴의 민주주의 연구소에서 세계 최고 민주주의 실천 국가 1위라고 평가한 대한민국의 모습, 그 이상을 보여주었다.

'공교육 멈춤의 날'을 앞둔 바로 수일 전에는 '자발적 주최'라고 추정되는 자생적인 조직이 악성 댓글 등에 의해 사이트를 폐쇄 및 집회 취소하기에 이르렀다. '멈춤의 날' 직전일에는 교육부 장관이 며칠 전 강하게 경고했던 징계를 교육부 차관이 거듭 예고했다. 하지만, 선생님들은 교육권의 박탈은 국가의 운명이 흔들리는 응급상황임을 알기에 어떤 해임·파면이라는 겁박에도 흔들림이 없다는 것을 보여주었다. '멈춤'으로서 세상은 선생님들의 지고지순한 실체를 볼 수 있었다.

선생님들이 "멈춤'으로써 세상은 교육이 불가능한 교실의 실상을 알게 되었다. 선생님들을 아프게 하고 교권은 바닥에 떨어졌고, 심지어 목숨까지 빼앗아 간다는 것을, 궁극에는 학생의 학습권과 인권마저도 극심한 위협 속에 있다는 것을 알게 되었다.

멈추어선 지금, 세상이 우리를 보았듯이, '깊은 생각'으로 이제는 우리가 교실을 우리 스스로가 돌아봐야 할 것이다. 교실이 꿈과 끼를 발산하는 다양성이 있는 곳인지, 4지선다 문제의 맞고 틀림만을 고르는 곳은 아닌지, 대학진학을 위한 입시 준비 단계가 아닌지, 선생님 스스로 학업성적으로 학생을 공부잘한다 못한다로 줄을 세우는 것은 아닌지, 우리에게 쓴소리하는 학부모의 이야기에 귀를 기울였는지 멈추었을 때 살펴보고 생각해야 한다.

공교육 멈춤의 날은 '되돌아봄'의 시간이다.

공교육 멈춤의 날은 '앞으로 나아감'의 시간이다.

페마 초드론 저(著) '잠시 멈춤'(Taking the leap)에서 낡은 습관과 두려움 그리고 충동에서 벗어나는 방법으로 잠시 멈추라고 이야기한다. 정세경 역(譯)의 '잠시 멈춤이 필요한 순간'에서도 생각이 필요할 때 잠시 멈추라고 조언한다.

의무 교육제도에 얽매여 학생들의 다양성보다 성적을 올리기에 집중하는 고정관념, 새로움을 추구하고 도전하는 데에서 오는 두려움, 복지부동의 구태의연함, 서열화·경쟁화의 성적 지상주의, 악성 민원인의 발생, 선생님들에게 교육을 위한 날개가 아닌 벌과 징계라는 족쇄의 아동학대처벌법과 학교폭력예방 및 대책에 관한 법률...

나무 박사 우종영은 나무는 스스로 멈춰야 할 때를 잘 알고 멈춘다고 한다. 계속 자라기만 하면 풍성한 꽃도 튼실한 열매도 맺을 수 없다고 한다.

멈추어 서면, 더 튼실한 교육을 이룰 수 있다. 지관(止觀), 멈추어 서면, 비로소 보인다. 생각하는 교육이 되어야 한다.

대한민국은 언제든지 혁명이 가능한 국가이다
-동학운동 · 3.1 운동 · 촛불 집회 · 공교육 멈춤의 날, 모두가 혁명(革命)이다-

세계사(世界史)에서는 영국의 명예혁명, 미국의 독립혁명, 프랑스 혁명을 손꼽는다. 또한 1968년 독일에서 일어난 6.8 운동(혁명)을 주목하기도 한다. 이에 못지않게 우리나라 역사는 언제든지 풀뿌리 혁명이 가능한 국가이다. 선생님들에 의한 '공교육 멈춤의 날'이 또다시 증명하였다.

사례 1. 동학운동

동학(東學)운동이라 불리는 동학농민혁명(東學農民革命)은 1894년 농민들이 주체가 되어 발발한 백성의 무장봉기이다. 기존 조선 양반 관리들의 탐학과 부패, 사회 혼란에 대한 불만이 백성들에게 혁명을 불러일으켰다. 농민이 주축이 되어 외세에 대항하고, 근대 사회로 전진하는 계기를 만든 대규모의 근대 민족 운동이며 갑오개혁을 불러일으켰다.

사례 2. 3.1운동

3·1운동(三一運動), 3.1혁명(三一革命) 또 다른 이름으로 칭하는 3·1만세 운동(三一萬歲運動), 대한독립만세운동(大韓獨立萬歲運動)은

일제강점기에 일본제국주의의 지배에 항거하여 1919년 3월 1일 한일 병합 조약의 무효와 한국의 독립을 선언한 비폭력 만세 운동이다. 중국이 반봉건주의와 반제국주의로 나아가는 출발점일뿐더러 훗날 중국에서 벌어진 문화 대혁명에도 많은 영향을 끼친 중국의 5·4운동과 인도의 마하트마 간디가 주도한 '비폭력 불복종 운동'에 영향을 미쳤다.

사례 3. 촛불 집회

국정농단 사건으로 벌어진 박근혜 대통령 탄핵 집회에서, 미국의 뉴욕타임스는 "많은 인원이 참여했지만 집회는 축제에 가까운 모습으로 평화적으로 진행됐다"라고 평가했으며 "초기에는 일부 혼란도 있었지만 20회가 넘는 집회가 진행되는 과정에서 시민들이 돌발 행동을 하는 참석자를 '비폭력', '평화 집회' 등을 외쳐 스스로 자제시키는 모습을 보이는 등 대체로 무력 사태 없이 평화롭게 시위가 이뤄졌으며 수백만 명의 기록적인 인파가 모였지만 당시 불법시위로 경찰에 연행된 사람은 '0명'이었다"고 보도했다.

당시는 헬조선 등의 단어가 유행하는 비관적인 분위기가 사회를 지배하는 상태였는데, 촛불 집회와 대통령 탄핵 과정은 많은 사람이 한국인으로서 자존심을 회복하는 계기가 되기도 하였다.

독일 슈피겔지 논평 자료에 의하면 촛불 집회는 가장 민주적이고 가장 헌법적이며 가장 사법적인 방식으로 피 한 방울 흘리지 않고 거대한 권력 집단을 모래성처럼 밀어버린 거대한 촛불의 폭풍이 일어난 지구상 최초의 가장 민주적 혁명으로 평했다.

그리고, 2023.9.4. '공교육 멈춤의 날'

홍해 바다가 갈라졌을 때 기적이라고 이른다. 6.25 전쟁의 상흔을 극복하고 세계 최빈(最貧)국가 대한민국이 일으킨 경제를 보고 '한강의 기적'이라고 부른다.

공부 문맹으로 인한 위기의 학교, 무너지는 교육을 살리기 위해 교실의 선생님들이 수업 일에 교실을 멈추고 한목소리를 냈다. 반만년 대한민국 역사 속에 유례없는 '획기적인 사건'이다.

'자발적 주최'라는 용어가 탄생했다.

어떤 정치적인 구호 없이 오롯이 공교육 정상화만 외쳤다.

특정 교육 집단의 이기주의를 밀어냈다.

학부모님도 학습권과 교권의 동일성을 알게 되었다.

질서 유지를 위해 배치된 경찰들이 역시 선생님들이라고 했다.

정치인들이 교사의 힘, 교사의 숫자에 두려움(?)을 느껴 교사가 아닌 '교사님'이라는 호칭으로 변했다.

인터넷 통신 세계 1위 국가는 선생님들의 교육 전문성을 높이는 마당에서 서로서로 정보를 교환해 왔다. 그곳이 풀뿌리 민주주의의 극치를 보여주는 막강하고 귀중한 터전이 되어줬다. 비방과 거짓이 난무하는 과거의 정치를 청산하고 올바른 소리를 내는 사람들의 목소리가 울려 퍼질 수 있는 장(場)의 활용이 시작되었다.

공교육 멈춤의 날에 직접 참여한 교원·학교를 지킨 교원, 모두가 한마음이었다. 30여만 명이 모였던 집회를 포함한 모든 자리는 존중과 배려로 질서정연했고 떠난 자리는 흔적이 없다. 국격 높은 성숙 된 집회의 최고봉을 보여주며 시대의 변혁을 불러일으킨 혁명이라 해도 과함이 없다.

50만 명의 선생님, 유네스코에서 선생님의 지적 수준은 세계 최고라 칭한 대한민국의 지성 집단이 잠에서 깨어야 한다. 우리나라의 어느 직종보다 거대한 수의 인재가 깊은 잠에 억지로 잠들어 있었다. 정치는 특정 집단이 하는 것이 아닌 국민 모두 참여해야 한다.

선생님들이 공부 문맹 탈출과 생각하는 힘을 가진 대한민국으로 선도(先導)해야 할 때이다.

생각 없는 사회, 고립(孤立)된 사회

공부 문맹 사회

- 고립된 사회는 희망(希望)을 앗아간다 -

※ '공부 문맹'이란, '좋은 대학에 진학하기 위해 국영수 시험 1등급을
  목표로 하는 것 만을 공부라고 하는 것'으로 규정합니다.

공부는 희망의 삶을 키워주는 것이다

*"공부 문맹 사회는 희망의 삶, 행복의 삶을 앗아간다.
우리는 '희망'이라고 쓰고 '행복'이라고 읽는다"*

소설가 공지영은 자신의 산문집에서 집 없는 사람들에게 집을 지어주는 엠마우스 공동체를 설립하신 프랑스의 피에르 신부님의 말씀을 옮겼다.

"희망과 소망을 혼동하지 말자. 우리는 온갖 종류의 수천 가지 소망을 가질 수 있지만 희망은 단 하나뿐이다. 우리는 누군가가 제시간에 오길 바라고, 시험에 합격하기를 바라며 르완다에 평화가 찾아오기를 소망한다. 이것이 개개인의 소망들이다.

희망은 전혀 다른 것이다. 그것은 삶의 의미와 밀접하게 연관되어 있다. 만약 삶이 아무런 목적지도 없고, 그저 곧 썩어질 육신을 땅속으로 인도할 뿐이라면 살아서 무엇 하겠는가? 희망이란 삶에 의미가 있다고 믿는 것이다."

그러면서 작가는 희망은 대학과도 돈과도 명예와도 상관이 없는 것이다. 어쩌면 그것은 우리의 본질, 즉 서로 사랑하고 남과 자기 자신에 대한 사랑과 긍지에 이르는 것이다.(공지영, 네가 어떤 삶을 살든 나는 너를 응원할 것이다)

학생들과 사랑하며 긍지 있는 삶을 사는 것, 그것이 선생님들이 품고 있는 희망이다. 공부는 희망의 삶을 키워줘야 한다.

♣ 공부 문맹 나라
   (1) 생각 없는 사회, 학교가 학교가 아니다
   (2) 고립된 사회, 성적으로 병(病)들게 했다

Ⅰ. 공부 문맹 사회의 시작
   # 공부 문맹은 문화지체 사회이다
   # 공부 문맹은 호기심 & 궁금증의 실종 사회이다

Ⅱ. 철학적 사유가 없는 공부 문맹 사회
   # 공부 문맹은 철학 사대주의자를 만든다
   # 시험은 일타강사, 타짜 학생을 만든다

Ⅲ. 시험이 만든 공부 문맹 사회
   # 공부 문맹 사회는 시험만이 공부가 되었다
   # 공부 문맹은 부모 & 사회에 복수한다

생각 없는 사회, 학교가 학교가 아니다

"먹을 게 지극히 부족한 시절, 식사 때 손님이 불쑥 찾아오면 끓이던 죽 솥에 물 한 대접을 더 퍼 넣었다. 죽이 묽어졌어도 죽은 죽이기에 그걸로 허기를 채웠다."

국가 인프라가 부족한 시절, 돌봄과 방과후교육이 절실하기에 학교가 물 한 대접 더 넣는 심정으로 수용했다. 사회적으로 학교가 나설 수밖에 없는 현실이었다. 돌봄은 2004년, 방과후교육은 2007년 학교 도입되었다. 이제 국가 인프라 및 살림은 충분하다.

그런데 초등학교는 국가로부터 많은 요구가 지속적·폭넓게 확대되고 있고, 요구를 완수해내야만 한다." 학부모를 위한 학생의 보육과 학생과 학부모의 요구에 의한 사교육비 절감은 **'정말로 중요하며, 학교 교육에 연관성 있다'**는 이유로…

'특기 적성 교육'은 '방과후학교'라는 이름으로 비대하게 성장했고, '돌봄교실'은 '늘봄학교'라는 이름으로 확대됨으로, 한 울타리 안에 **'초등학교·방과후학교·늘봄학교'**, 세 개의 학교가 한 지붕 세 가족이 된다.

장소와 업무 서비스를 제공하는 것도 벅찬데 정말 이해하기 힘든 것은 모든 책임이 초등학교에 있다. 그곳에서 민원과 사안, 특히 학교폭력까지도 학교의 책임이다. 학교폭력은 태권도 학원에서, 동네 놀이터에서 벌어져도 학교에서 사안을 처리한다. 악성 민원의 발생 장소 및 시간은 그야말로 시공을 초월하는 4차원의 세계와 다름없다.

　법을 집행하는 게 사회 질서유지에 **'정말로 중요하며, 연관성 있다'**는 이유로 법원 안에 경찰서와 검찰청, 수감자·업무 종사자를 위한 보육시설을 둘 수는 없는 일이다. 사람을 치료하는 일이 사람들에게 **'정말로 중요하며, 연관성 있다'**는 이유로 병원 안에 마사지센터· 약국·기치료 센터 또는 환자들의 여가 선용을 위한 취미활동 센터 등을 공존시킬 수는 없는 일이다.

　기관 및 시설의 고유 기능을 고려하지 않고 여러 기능을 **'정말로 중요하며, 연관성 있다'**는 이유로 공존(共存)한다면 법원, 병원뿐 아니라 더부살이하는 분야도 온전한 기능을 할 수가 없다. 물론 위와 같은 상황은 각각의 단체와 사회의 압력 단체들이 눈뜨고 지켜볼 리 만무하다.

　그런데, 유독 학교, 특히 초등학교는 예외적으로 적용된다. 초등학교가 왜, 화수분이요 만물상 신세가 된 것인가? 대학입시에 초점이 맞춰진 사회에서 초등교육은 등한시되는 게 아닌가? 수능 시험일에 수능이 치러지는 인근의 모든 학교가 숨죽이며 지내거나 심지어 자율휴업일로 지정하는 사회, 공부 문맹 사회에서 그나마 전인교육에 가까운 초등교육은 만만한 곳(?)이라고 여겨진다는 의구심이 드는 것은 왜일까?

중고등학교도 학교에서 치룬 시험문제에 대해 시시비비를 거는 학부모, 재시험을 요구하는 학부모 등등, 초등과는 또 다른 험악한 민원에 노출된다는 사실도 간과해서는 안 된다.

(본 저(著)의 내용은 정부의 정책에 대한 내용이다. 절대로 방과후 업체 관련 종사자, 돌봄교육 실무사님을 불편하게 하려는 것이 아니다. 그들도 역시 국가 정책 부재의 피해자이다. 그 사실을 생각해 보지 않았기에 장소와 서비스를 제공하는 학교를 원망하는 것이다)

"봉당을 빌려주니 안방까지 달란다"
"물에 빠진 사람 건져 주니 보따리 내놓으라 한다"

위의 두 속담은 사교육에서 주도적으로 할 특기 적성 교육과 정부에서 복지 차원에서 해야 할 돌봄에 대해 이르는 아주 적절한 비유이다. 방과후학교 강사는 교실을 빼앗긴 담임 선생님들에게 자신들의 공간이 부족하다고 서운함을 학교에 표시하고, 돌봄의 무한 확대로 학교의 정체성을 위협하고 있다.

교육기본법과 초중등교육법에 언급조차 없음에도, 돌봄과 방과후교육 조항을 초중등교육과정총론에 2개의 '끼워넣기식'의 삽입 조항이 '방과후학교와 늘봄학교'를 탄생시킨 거다. 법치국가에서 일어날 수 없는 일이 일어나며 학교 교육을 세월호에 올려놓았다.

생각 없는 사회는 학교 교육의 독립성을 무너뜨렸다. 을사늑약으로 우리나라가 우리나라가 아니었듯이, 공부 문맹 사회, 공부 문맹 국가에서 학교는 더 이상 학교가 아니다.

고립(孤立)된 사회, 성적으로 병(病)들게 했다

콜럼부스는 1,500만 명에 달했던 카리브해 전역의 인디언들을 노예로 끌어갔고 멸종시켰다. 제국주의가 꿈꾼 이상적인 사회는 **'무력'으로** 굴복시키고 홀자만 잘사는 '고립된 사회'임이 틀림없다.

'이웃사촌'과 함께 더불어 살아가는 세상으로 따뜻하고 훈훈한 것이 우리 민족의 DNA이다. 공부 문맹 사회는 '이웃사촌'과 '친구'를 **'성적'으로** 밟고 이겨야 하는 각박한 세상, 외로운 세상, 고립된 세상을 만들었다. '악성' 민원인은 그렇게 등장했다.

일본에 의한 침탈에 이은 동족상잔의 비극을 거친 대한민국은 세계 최빈국이었기에 필사적으로 달려야 했다. 그래서 모든 국민이 똘똘 뭉쳐 교육을 통해 산업 역군으로 나서야 했다. 의무교육제도로 학생들의 학력을 일정 수준으로 끌어올려야 하는 시절로 '학업성적'을 중요하게 여기게 되었다.

선진국의 대열 진입을 위한 지금은 상황이 다르다. 모방적 인재가 아닌 창의적 인재가 필요하게 되었고, 성적보다는 지식정보사회를 이끌 인재가 필요하게 되었다. '문화지체' 현상이 심한 우리나라는 여전히 과거에 머물고 있다.

초등학생 대상으로 '의대 입시반'을 구성한 학원이 등장했고, 서울대생이 학교 내에 개설된 수학 과목에 '반수'를 통해 의대가 있는 대학에 진학하고자 수강생이 몰린다고 한다.

공부 = 국영수 시험 잘 보기 위해 하는 것

공부 = SKY대, 의과대 있는 대학에 가기 위해 하는 것

공부 잘하는 사람 = 국영수 내신 1등급, 수능 1등급컷

공부 잘하는 사람 = SKY대, 의대에 진학하는 사람

공부 문맹은 '성적 지상주의'로 내달렸고, 교육 현장을 고려하지 못한 '아동학대 처벌법'의 적용이 도화선이 되어 필연적으로 '악성 민원인'이 생겼다.

점수경쟁으로 옆의 학생을 이겨야 하고, 수많은 대학 중에 오로지 SKY대학을, 수많은 학과 중에 오로지 '의과'만 지망하는 편협한 교육, 국영수 1등급만을 추구하는 '성적 지상주의'로 악에 받친 악성 민원인의 발생은 어쩌면 당연한 결과다. 그리고 전인교육이 불가능한 교실로 변했다.

학생들이 교사의 휴대폰(아이폰)을 보고 사달라고 조르니 교사에게 아이폰을 쓰지 말라는 것부터, 전화 상담을 하는 교사의 밝은 목소리가 거슬려 교육청에 민원을 넣거나, 숙제를 내주니 아이가 숙제를 잘 풀지 못한다고 소리를 지르다 부부 싸움이 났다는 이유로 교사를 가정파괴범으로 몰아가는 등 상식을 아득히 벗어나는 학부모들의 갑질 사례들이 밝혀졌으며 과거에 발생했던 교권 침해 사례들이 재조명되었다.

2006년에 숙제를 하지 않은 아이를 혼냈다는 이유로 학부모가 매일 저녁 교사에게 전화를 걸어 폭언을 퍼부었고 결국 교사가 자살한 사건이 있었는데 극복할 수 없는 스트레스로 보이지 않는다는 이유로 순직 신청을 거부한 경우가 있다.

2016년에 아이를 복도에 세우고 반성문을 쓰게 했다는 이유로 학부모가 20건 이상의 민원과 아동학대 신고를 넣어 결국 교사가 자살하는 사건이 일어났는데 유서에 해당 내용이 적혀 있음에도 자택에서 자살했다는 이유로 순직 신청이 거부당한 적이 있다.(나무위키, 2023.9.20.)

'공부 문맹은 우리 사회 곳곳에 '암' 덩어리로 존재한다.'
'신문기사들이 ctrl+c, ctrl+v로 쓰여졌다는 사실이 더 충격적이다.'

우리나라 대표적인 일간지 여러 곳에서 '공교육 멈춤의 날'이 왜 발생했으며 국가적인 차원에서 어떤 방향성을 가져야 하는지는 **'일언반구'**도 없이, 집회가 끝나고 **'쓰레기 하나 없이'** 평화롭고, 질서정연한 집회를 칭찬하는 기사만 올렸다.
'자칭' 우리나라 대표적인 언론이 '교사들은 순한 양이라는 식'으로 길들이는 것은 우리나라를 좀먹는 매국노보다 심한 행위이다. <u>생각하는 힘</u>을 빼앗고, <u>학교를 고립</u>시키며 공부 문맹 사회로 만들려는 것이다.

의무교육 시대의 학교 교육이 일률적으로 일정 수준 이상의 학력을 지닌 인재를 양성했다면, 이제는 다양성이 존중되는 교육이 필요한 사회가 되었다.
시대의 흐름에 역행하는 서열화·등급화하는 공부 문맹 사회는 희망이 아닌 절망을 준다. 고립된 사회에서 절망에 빠진 사람은 병(病)들었고, 눈에 보이는 것이 없다.

Ⅰ. 공부 문맹 사회의 시작

- 공부 문맹 사회의 시작 1 -
공부문맹은 문화지체 사회이다

"새벽종이 울렸네 새아침이 밝았네
너도나도 일어나 새마을을 가꾸세
살기좋은 내 마을, 우리 힘으로 만드세"

"초가집도 없애고 마을길도 넓히고
푸른동산 만들어 알뜰살뜰 다듬세
살기좋은 내 마을, 우리 힘으로 만드세"

　문화지체(文化遲滯, culture lag)는 비물질 문화가 물질 문화를 따라잡지 못하는 현상을 이르는 말이다. '물질 문화'는 주로 과학 기술의 발달을 말하는 것이고, '비물질 문화'는 사람의 생활 방식부터 제도적인 부분까지 아우르는 것이다. 문화 지체(遲滯)는 기술이 발달함에 따라 자연스럽게 발생하는 현상이지만 우리나라는 문화 지체가 상당히 심각하다. 압축된 근대화로 이룬 고속 성장이기에 더더욱 그러하다.

　서두에 표현한 가사는 아침 일찍 확성기를 통해 온 동네에 울려 퍼진 노래이다. 그 당시의 세대에 살았던 사람이라면 위의 노래 가사를 보기만 해도 입 안에서 흥얼흥얼 노래를 부를 정도이다. 논(답(畓))물을 보러 나가는 아버지도, 아침 준비를 하는 어머니도,

소 외양간을 치우는 형도, 냇가에 나가 세수하는 동생도, 모두가 듣던 노래다.

서양은 일찍부터 시작된 산업화로 근대화가 이루어졌지만, 늦은 출발을 하게 된 우리나라는 뒤떨어진 발걸음을 서두를 수밖에 없었다. 그나마 도시에 사는 주민들은 새로운 문화, 새롭게 들어온 문물에 눈을 뜨게 되었지만, 농촌은 그 속도를 따라오지 못했다.

1970년부터 시작된 새마을운동은 전국적인 규모로 개별적인 자연 촌락을 대상으로 하여 하행·하달된 사업 지침에 따라 밀고 나가는 것으로부터 출발하였다. 따라서 일사분란하게 전개하여 목표를 비교적 단기간 내에 성취할 수가 있었다.

새마을운동의 '일사분란'한 추진처럼 근대화에 가속도를 붙여 '못 먹고, 못 사는' 후진국에서 중진국으로 발돋움하기 위해서는 국민의 계몽이 필요했기에 마을 주민들의 교육과 더불어 자라나는 아이들의 교육을 위해 의무교육 제도를 발 빠르게 준비하였다.

의무교육(義務敎育, compulsory education)은 국가에서 제정한 법률에 의거, 일정한 연령에 이른 아동이 국가나 사회의 구성원으로서 강제로 받아야만 하는 기본 교육이다. 또한 국가 혹은 지역사회의 교육 당국이 해당 지역에 거주하는 그 구성원에게 교육을 제공할 의무를 동시에 충족시키는 교육이기도 하다.

교육법 제30조에 따르면, 국민은 교육을 받을 권리가 있으며, 국가는 이를 보장하여야 한다. 만일 국가에서 법으로 정한 교육 과정을 거치지 않고 홈스쿨링이나 대안학교를 선택하는 경우, 법적 처벌을 피할 수 없게 된다.

후진국 탈출을 위해 다 같이 노력하는 일사분란함이 필요하고, 서양에서 산업화를 위한 일꾼 양성을 위해 생긴 의무교육 제도가 지금도 과거와 변함없이 적용되기에 학교 교육이 어려움에 빠진 것이다. 이것은 비단 우리나라 문제만이 아니다.

의무교육의 출발은 자국의 시민들을 일정 수준 이상의 지식인으로 키우는 것이 목표였지만, 점수로 경쟁시키니 자연스럽게 서열화와 등급화되었다. 동서양을 막론하고 세계의 교육이 '성적'의 굴레를 벗어나지 못하고 있다. 아주 극소수의 나라를 제외하고는 학교에서 이루어지는 교육의 목적이 대동소이하다.

우리나라의 문화 지체는 여러 방면에서 나타나고 있다. 매우 심한 부분과 원인이 여러 가지 있으나 그 중심에는 교육이 가장 큰 대상이다.

> "서로서로 도와서 땀흘려서 일하고
> 소득증대 힘써서 부자마을 만드세
> 살기좋은 내 마을, 우리 힘으로 만드세"

"선생님들은 이 마음으로 법적 근거도 없던 '돌봄/방과후'를 맡았다"

문화지체로 미처 돌봄과 방과후교육의 사회적 인프라가 준비가 안 되었었다. 교육에 미치는 영향을 고려 못하고 '서로서로 돕는다'라는 십시일반(十匙一飯)의 마음으로 학교에서 수용했다.

공부 문맹 사회는 문화지체 사회로 선량한 사람들이 피해받고, 더 나아가 사회적으로 수많은 문제점과 해결을 위한 사회적 비용이 발생한다. 사회 양극화가 무서운 결과를 초래하듯이 문화지체는 우리의 삶을 고되게 하고 있다.

공부 문맹은 호기심 & 궁금증의 실종 사회이다

△호기심 : 새롭거나 신기한 것에 끌리는 마음
△궁금증 : 호기심이 가득하여 알고 싶어하는 마음

'있고 없고' 퀴즈로 호기심과 궁금증을 이야기해 보고자 한다.

[질문] 다음을 읽고 '있는 것'과 '없는 것'을 찾아내세요.
    "남자는 있고, 아빠는 없다."
    "학교는 있고, 도로는 없다."
    "엄마는 있고, 여자는 없다."

정답은 받침이다. 정답이 이해가 안 되는 독자들은 주변 지인의 도움을 받기를 권유한다. 부끄러운 일이 아니다. 정답을 알려줬는데 고개를 갸웃갸웃하는 초등학생들도 의외로 많았으니 말이다.

우리는 '남자, 아빠, 학교, 도로, 엄마, 여자' 등을 이름·명칭·명사·단어 등으로 부른다. 그 단어를 들었을 때 모양, 특징, 느낌, 떠오르는 생각들이 있다. 그런데 왜 그런 이름·명칭이 명명되었는지 호기심과 궁금증이 있는가?
보통 자신이 세상에 태어나는 순간부터 접한 단어 혹은 태어나기 이전에 생긴 단어보다는 최근에 생긴 것에 궁금함이 있는 편이다.

지금 이 책을 읽는 독자의 이름을 스스로 떠올려 보자. 자기 이름이 뜻하는 의미 등에 대해 잘 알고 있는 사람이 있는 반면에 왜, 그런 이름이 붙여졌는지 모르거나 관심이 없는 이도 있을 것이다. 누구나가 이름은 있지만 별명은 없다. 자기 이름보다 별명이 있다면, 그 별명이 생긴 이유는 좀 더 잘 알고 있을 것이다.

별명은 사회에서 공적(公的)인 신분으로 살아가는 데 아무런 증명도 할 수 없다. 비행기 좌석을 예약할 때, 주민등록등본이 필요할 때, 스마트폰으로 신분을 증명할 때 별명은 전혀 필요치 않음에도 별명의 탄생 배경을 알더라도 이름에 대해서는 잘 알지 못할 경우가 빈번하다. 그 사람 이름의 시작에는 본인도 세상 사람들도 궁금함이 적은 편이다.

개인의 이름은 역사가 짧고 사적(私的)인 부분이기에 그렇다 하더라도 유구한 역사의 주체 대한민국(大韓民國)이라는 이름의 유래는 알고 있는가, 코리아(Korea)는 언제 어떻게 시작되었을까, Korea인가 Corea인가, 한국(韓國)이라는 이름은?

대한민국 서울에 사는 사람이 서울의 남산에 오른 적이 없거나 대도시의 한가운데를 흐르는 한강이라는 지구상 어느 국가의 강보다 얼마나 크고 깨끗한 강인지 모르듯이 늘 보는 것, 생활 속에 녹아있는 것에는 궁금증과 호기심이 없다. 시간의 흐름과 문화의 형성과정에서 생성된 이름과 명칭에 대한 호기심이 없기에 궁금함도 없는 것이다. 즉, 당연한 것에 대한 궁금함이 없다. 그 이유는 세상살이에 불편이나 불이익이 없기 때문일 것이다.

그런데 이름과 명칭에 관심이 없어 큰 불편이나 불이익을 초래할 수 있다면 어떨까?

냉장고(冷藏庫)라는 이름에 관심이 없더라도, 책상(冊床)이라는 이름에 호기심이 없더라도 일상생활에서 냉장고와 책상을 사용하는 데 아무런 불편과 불이익이 없다. 만약 질병 치료하는 약(藥), 교통 신호 용어, 전쟁을 제어하는 용어 등의 이름에 대해 무신경하다면 어떤 일이 일어날 수 있을까?

공부.

집에서, 학교에서, 학원에서, 그리고 사회에서 남녀노소, 고관대작을 막론하고 가장 많이 이야기하는 단어 중에 하나. 공부란 무엇인가? 공부라는 이름·호칭에 관심이 없을 때 어떤 일이 일어날 것인가?

세계 유일한 과학적인 문자, 한글을 만든 나라. 인류 최대 발명품인 금속활자 만든 나라. 그런 창조적인 민족이 왜, 호기심과 궁금증이 실종(失踪)되었을까?

II. 철학적 사유가 없는 공부 문맹 사회

- 공부 문맹 사회 1 -
공부 문맹은 철학 사대주의자를 만든다

"우리나라엔, 정말 철학자가 없다는 생각을 한다. 지금 우리나라에서 철학을 한다는 사람들을 보면 그냥 '앵무새들' 아닌가? 누군가 말했던 것처럼, 자기 철학 없이, 남의 나라 철학만 읊어대며…."

(현재 우리나라에 철학자가 있긴 한가?, 청풍, https://blog.naver.com/45jihoon/2223982459)

철학(哲學)이란 무엇인가? 철학(哲學)은 세계와 인간의 삶에 대한 근본 원리 즉 인간의 본질, 세계관 등을 탐구하는 학문이다. 또한 존재, 지식, 가치, 이성, 인식 그리고 언어, 논리, 윤리 등의 일반적이며 기본적인 대상의 실체를 연구하는 학문이다.

위의 글은 21세기의 지금, 공부 문맹 사회의 대한민국의 민낯을 너무도 적나라하게 표현한 내용이라고 생각한다. 우리는 없다. '배우고 익힌 것'을 '시험 보는' 국영수 1등급 사회인 우리는 우리의 철학적 사유 없이 온통 남의 나라 철학자만을 운운한다.

우리나라 철학을 비판하는 철학자도 그 굴레를 벗어나지 못하고 비판한다. 독립적이지 못하고 '철학적 사대주의'에 옭매여 있다는 사실도 모르면서 말이다. 중국 철학에 대한 사대주의, 독일 철학에 대한 사대주의 등의 철학자들이 강단에서 맹활약하고 있다.

'공자의 대한민국'이 아닌 '대한민국의 공자가 되어야 한다'라면서 지식의 독립, 철학의 독립을 주장하는 모교수의 논리를 보면, 그는 스스로가 공자와 장자 사대주의에 빠져 있음을 모르고 있다. 유학, 성리학, 주자학을 해석하고 외우는 데만 집중한 습(習)이 지금도 이어질 뿐이다.

대한민국은 본래부터 독립적이지 못하고 타국의 지식을 '베끼기'만 하는 능력의 DNA만 있는 나라인가? 우리나라는 철학을 기반으로 한 지식 생산국인 적이 전혀 없던 지식 수입국으로만 살았던가? 단언컨대 전혀 동의할 수 없다.

1만여 년 전 단군조선 이전의 환웅(桓雄) 시대부터 내려온 경전 중 하나인 삼일신고(三一神誥)에서 다음과 같이 설파했다.

衆 善惡淸濁厚薄 相雜 從境途任走 墮生長消病歿苦,

哲 止感調息禁觸 一意化行 返妄卽眞 發大神機 性通功完是

衆'인간'은 착하고 악함, 맑고 흐림, 후하고 박함을 서로 섞어 거짓된 방탕한 생활을 하니 자라고 늙고 병들어 죽는 고통을 겪는다. 哲'철인'(哲人, 깨달은 자)은 느낌을 중단하고 호흡을 고르게 하며 피부로 느낌을 금하고 한 마음으로 수도에 정진하여 거짓됨을 버리고 참을 깨닫는다."

위의 글에서 哲'철인'(哲人, 깨달은 자)의 존재를 이야기할 뿐 아니라, 철인(철학자)의 역할까지도 찾아볼 수 있다. 경전(經典)은 종교의 믿음 또는 교리의 근간을 이르는 문서로 철학적 사유(思惟)의 총체이다. 또한 삼일신고(三一神誥)는 기독교의 성경, 불교의 불경보다 이른 시기의 것으로 우리 민족의 철학적 토대를 반증하고 있다.

철학자(哲學者)는 철학을 연구하는 사람으로 어떤 저자(著者)에 대한 이론이나 논평을 하는 사람이 아니라 인간 조건에 관한 존재론적인 질문을 푸는 데 초점을 맞춘 삶의 방식을 따라서 살았던 사람이다.

'철학은 어떻게 삶의 무기가 되는가?'(야마구치 슈 著, 김윤경 譯)에서 우리는 왜 '철학'을 배워야만 하는가의 관점을 제시했다. 작가는 철학을 배움으로써 철학을 배워서 얻는 가장 큰 소득은 지금 눈앞에서 벌어지고 있는 일을 깊이 있게 통찰하고 해석하는 데 필요한 열쇠를 얻게 해준다는 점이다. 철학의 모든 역사는 모두, 지금껏 세상에서 상식으로 인식되거나 당연하다고 여겨진 일들에 대한 비판적 고찰의 역사다. "세상은 무엇으로 이루어져 있는가."라는 'What의 문제'와 그 속에서 "우리는 어떻게 살아가야 하는가."라는 'How의 문제' 이 두 가지로 정리할 수 있다고 하였다.

신시배달국 환웅(桓雄) 시대부터 우리 민족을 교화할 때 '천부경'으로는 하늘 이치를 열게 하고, '삼일신고'로 다섯 가지 가르침을 일깨워주었고, '참전계경'으로 생활규범과 예의범절을 알려주었다 한다.

우리는 어떤 민족보다도 철학적 사유의 역사가 유구함에도 수백 년간의 흑역사이자 공부 문맹 사회는 스스로 생각하는 힘을 잃었기에 철학(哲學)이 부재한 시대가 되었다.

- 공부 문맹 사회 2 -
시험은 일타강사, 타짜 학생을 만든다

"일타강사란, 학원에서 제일 인기가 많은 강사,
매출 1위를 기록하는 강사, 인기가 많아서 제일 먼저 수강 신청이
마감되는 강사, ①등 스타강사."

인터넷이 저변확대 되지 않았던 시절에는 학원에서 대면 수업을 많이 했지만, 최근에는 인터넷 강의가 많아지면서, 특히 코로나19의 영향 등으로 대면 강의가 축소되면서 1타강사 개념이 1등스타강사라는 뜻으로 더욱 확장되었다.

일타강사에 대한 내용이 tvN 드라마 <일타스캔들>에서 방영되었다. '1조 원의 남자'라는 주인공은 한국 사교육 시장의 현재를 말해준다. 업계에서는 평균적인 일타강사의 연봉 수준은 100억 원대로 추산한다. 우리나라의 신풍속도가 드라마로 방영되듯이 학생들을 '찍신'으로 이끌어주는 '대부', 일타강사는 몸값이 치솟고 있다.

우리 사회는 왜 일타강사가 탄생되었을까?

초등학교에서는 객관식 시험이 아닌 수행평가를 실시한다. 평가 결과는 수행평가 등에 대해 점수가 아닌 생활 통지표로 가정에 알리고 있다. 부모는 점수와 등수 표시가 없는 '두리뭉실(?)'한 통지표에 만족하지 못한다. 자녀의 공부 정도(시험 실력)를 콕

집어서 알 수가 없기도 하거니와 성적을 높이고 싶기에 학원에 보내고 있다. 대한민국은 숫자로 나타내는 게 공부 결과이다.

　　공부 = 점수가 나와야 하는 것
　　공부 = 등수가 나와야 하는 것
　　공부 = 점수가 나오는 학원에서 하는 것

　　중학교를 거쳐 고등학교에 진학하면서 객관식 시험은 본격적인 궤도에 진입한다. 대학 수능이 객관식 시험이며, 학교 내신 등급을 결정짓는 시험 문제도 객관식의 비중이 압도적이다. 객관식의 대표적인 이름이 '4지선다', '4지선다형 문제'라고 불린다. 객관식 시험은 '맞고, 틀림'을 고르거나 '찍는 것'이다.
　　시험 잘 보는 학생을 '잘 찍는다'라고 한다. 왜 그럴까?
　　주관식일 경우 모르면 정답 확률이 0%이지만, 4지선다는 정답의 확률이 25%이기도 하지만, 출제자의 요구에 가장 근접한 걸 골라야 하기에 그렇다. 시험 잘 보고 못 보고가 재수나 운으로도 결정되기에 성적표를 받았을 때 자기의 결과물에 수긍 내지 인정을 못하는 경우가 흔히 일어난다. 그것은 나의 성적표뿐 아니라 더 좋은 성적표를 받은 친구의 성적도 인정하고 싶지 않다는 의미도 내포된다.
　　시험 문제 출제자의 오류로 잘못된 문제에 대한 재시험 항의가 나오기도 하지만 '잘 찍고, 못 찍고 혹은 실수로 잘못 찍고'로 등수와 내신성적이 결정된다는 것이 불운으로 인함이라는 것에 대한 보상심리가 재시험을 주장하기도 한다.

고등학교 3년 그리고 재수, N수를 되돌아볼 때 매번 '찍어야 하는' 시험 말고 남는 추억이 있을까? 진단평가, 모의고사, 중간고사, 기말고사 한 학기인 6개월 동안 돌고 돈다. 학교는 학교대로, 그리고 저녁에 돌고 돌아야 하는 학원이 기다린다. 그러므로 시험 문제를 찍어주는 일타강사가 절실히 필요하다.

좋은 대학에 진학하기 위해 국영수 시험 1등급을 목표로 하는 것만을 공부라고 하는 공부 문맹 사회는 1타강사를 찾게 된 것이다. 타짜인 일타강사를 찾는 사회는 결국, 학생들이 말하는 '찍신'인 '찍기의 신'을 만드는 사회가 되었고 근면 성실함이 아닌 요행을 바라는 사회가 되었다.

학생과 학부모가 열광하는 인터넷 강의, 학원 강의에서의 1타강사를 학교 선생님들에게도 요구되는 것은 너무도 당연한 일이다. 내신 1등급과 수능 1등급컷을 위해서는 선생님들도 '타짜'가 되어야 인정받는다.

공부 가르치는 선생님 = 국영수 선생님
공부 잘 가르치는 선생님 = 시험 점수 높여주는 선생님
공부 아주 잘 가르치는 선생님 = 내신1, 수능1, 1타 선생님

'4지선다'에 길들여진 학생들은 사회에 진출해서 한 단계 높아진 '5지선다'를 만난다. 성인이 되어서도 '찍신'의 대부, 1타강사는 여전히 필요하다.

III. 시험이 만든 공부 문맹 사회

- 공부 문맹 사회 1 -
공부 문맹 사회는 시험만이 공부가 되었다

"공부한다 = '학문(學問)'으로,
'학문(學問)' = '묻는 것을 배운다.'에서,
'배워서 익힌다.' = 학습(學習)으로,
'배워서 익힌 것'을 확인 = 시험(試驗)"

'공부'의 뜻이 지켜지지 못하면서, '배워서 익힌 것'을 확인하기 위한 시험(試驗)을 보게 되었다. '시험(試驗)을 준비하는 것'이 공부가 된 사회는 4% 안에 들어야 1등급이 되는 4 : 96의 극심한 양극화가 되었다. 공부의 뜻이 '시험'만이 되었기에 학생들은 공부 문맹의 삶을 살아야 하고, 학교의 존재, 선생님의 정체성에 대한 의미도 '시험'으로 왜곡되고 있다.

초·중·고, 특히 고등학생에게 공부란?
공부 = 국영수 시험 잘 보기 위해 하는 것
공부 = 좋은 대학 가기 위해 하는 것
공부 = 학원에서 하는 것

초·중·고, 특히 고등학교에서 공부 잘하는 사람이란?
공부 잘하는 사람 = 국영수 내신 1등급

공부 잘하는 사람 = SKY대, 의과대 진학하는 사람

공부 잘하는 사람과 못하는 사람 비율은?

공부 잘하는 사람 4%(내신 1등급) : 공부 못하는 사람 96%

선생님에게 공부란?

공부 = 시험 잘 보게 하는 것

공부 = 좋은 대학, 의과대 가게 하는 것

공부 잘 가르치는 학교(선생님)란?

　　= 다른 학교보다 더 많은 수능 1등급컷 학생 지도

　　= 다른 학교보다 더 많은 SKY대 진학 학생 지도

아무리 공부 잘 가르치는 학교(선생님)라 하더라도, 공부 잘하는 사람과 못하는 사람 비율 = 4% : 96%

어떻게 해야 1등급을 받을 수 있을까? 일단은 시험을 잘 봐야 한다. 조건이 있다. 점수가 어떻든 간에 남들보다, 자기 친구보다 잘 봐야 한다. 1등급도 여러 과목을 합쳐서 평균을 내서 이야기하기에 1등급 초반대, 중반대, 후반대 등으로 다시 서열화한다.

수능시험은 과목별 원점수에 의한 평균과 표준편차를 구해서 표준점수와 백분위, 비율을 구한다. 수능컷은 시험의 난이도에 영향을 받지 않고, 모든 수험자를 등급으로 나눈다. 내신 등급 비율과 동일(同一)하지 않지만 거의 비슷하다.

어떻게 해야 1등급컷을 받을 수 있을까? 내신 1등급처럼 무조건 친구들보다 좋은 성적을 받아야 1등급 컷에 들 수 있다. 이름도 '컷'으로 '커트라인'을 의미한다. 학생을, 사람을 점수로 '자르는' 것이다.

수능 1등급 컷은 경쟁상대가 하나의 학교나 학원이 아닌 대한민국의 모든 학생이 경쟁자임을 잊지 않게 한다. 경쟁상대가 바로 옆에만 있지 않고 보이지 않는 곳곳, 전국 방방곡곡에 있다는 것을 잊지 않게 한다.

공부 문맹 사회는 시험으로 서열화, 등급화된 사회 환경에 학생들을 밀어 넣고 있다. 그것이 공부의 전부, 공부의 뜻, 공부의 목적이라고 세뇌(洗腦)시킨다.

'공부 문맹 사회'는 '국영수 시험 보는 것'을 준비하는 것을 공부라고 여기게 하는 것, 국영수 과목 시험으로 학생들을 서열화하기에 '공부는 국영수 시험 잘 봐 내신 1등급 받기 위해 하는 것'이라는 99.9퍼센트의 공부문맹률을 만들었다.

"공부 잘한다 = 시험 잘 본다"가 되었다.

- 공부 문맹 사회 2 -
공부 문맹은 부모 & 사회에 복수한다

"전교 회장에 전교 1·2등을 다투던 고3 아들이 어느 봄날, 자퇴를 선언한다. 아들이 자퇴서에 도장을 찍자마자 고2 딸도 학교를 그만두고, 자퇴생 남매는 방에 틀어박혀 부모와 대화조차 거부한다. '어디서부터 무엇이 잘못된 것일까?' 잘나가는 교사에 잘나가는 자녀를 둬 자신만만했던 저자는 도무지 이해되지 않았다."(엄마 반성문(2017, 이유남 著), 출판사(덴스토리) 서평)

아들딸에게 쓰는 '엄마의 반성문' 저자(著者)는 초등학교 교장 선생님이다. '세바시' 등 각종 방송 출연 및 강연을 하며 두 자녀의 교육을 경험 삼아 학부모들에게 'SKSK', '시키면 시키는 대로'의 가정교육이 준 폐해의 메시지를 전달하고 있다. 교육자로서 자부심이 높을 교장 선생님이 스스로 반성하다니, 대단히 용기 있는 교육자이자 어머니이시다. '시키면 시키는 대로'의 교육이란, 자녀가 원하는 교육이 아닌, 부모가 원하는 국영수 1등급이었을 것이 짐작된다.

시험의 일상이 학교생활이 되었기에 학교는 행복한 곳이 아닌 불행을 만드는 무서운 곳이다. 꿈과 끼를 키워나가야 할 곳이 4%에 들지 못해 내신 1등급을 받지 못하므로 자기를 비하하는 곳이 되어가고 있다.

학교에는 두 종류의 학생이 존재한다.

공부 잘하는 학생, 공부 못하는 학생이다. 즉 국영수 시험 잘 보는 학생, 시험 잘 못 보는 학생. 더 정확히 하면 국영수 시험 봐서 친구들보다 점수 높은 극소수(4%)의 내신 1등급 학생, 점수 낮은 대다수(96%)의 학생인 두 부류이다. 공부를 잘하건 못하건 시험을 잘 보건 못 보건 공통점은 자기 자신에 대한 사랑과 존중, 자아존중감이 낮다.

공부 못하는 학생은 부모님에게서, 학교 선생님에게서, 학원 선생님에게서 못함에 대한 끊임없는 질책으로 부정적 정서가 쌓여가며 자기 상실감이 최고조로 다다른다. 오르지 않는 성적, 학교에서 보낸 시간 이상 학원에서 보내고 집에 오면 12시가 넘어 매일매일 부족한 취침 시간. 떨어지는 컨디션과 떨어지는 성적으로 자괴감에 빠지며 탈선을 꿈꾸게 된다.

공부 문맹 사회에서 성장한 학생의 부정적인 자아존중감, 낮은 자기효능감은 부모에게, 그리고 사회에 복수를 한다. 그로 인한 사회적 불행이 뉴스에 빈번히 등장한다.

공교육 정상화의
골든타임

- 공교육 멈춤의 날은 '멈춤·되돌아봄·나아감'의

'골든타임' 연장이다 -

공교육 멈춤의 날을 기록하며

'공교육 멈춤의 날'이란, 2023년 9월 4일, 전국 다수의 교사들이 서울서이초등학교 교사 사망 사건 피해 교사의 49재 추모식에 맞추어 추모함과 동시에, 국회와 교육 당국에 교권을 보호하기 위한 법 개정을 촉구하기 위해 일시에 연가, 병가, 공가 등을 사용함으로써 출근하지 않은 날이다.(나무위키, 2023.9.20)

(※본 저(著)에서는 '공교육 멈춤의 날'과 관련된 모든 집회를 '공교육 멈춤의 날'로 규정하고자 한다.)

대한민국 교육 역사상 수업이 있는 평일에 선생님들이 최초로 모인 집회이다.

'교육이 가능한 교실, 교권을 통한 학생들의 학습권이 보장되는 교실'을 위해 선생님들이 '멈춤'을 선택했다. '악성 민원인' 등에 의한 정상적인 전인교육이 불가능한 지금은 '멈춤', '되돌아봄' 그리고 '나아감'이 필요한 '골든타임'인 것이다.

본 장(障)에서는 집회 관련한 기사를 '일목요연 & 객관적'으로 정리하고자 집회의 시작과 흐름을 직접 설명할 수 있는 '군잡맨'과 '1~11차 집회' 관련 기사 내용을 담았다.

아울러, 선생님들의 귀중한 목소리와 교육부 등의 조치를 토대로 '공교육 정상화 & 공부 문맹 탈출'을 위해 함께 생각했으면 하는 문제를 발의(發議)하고자 했다.

♣아동학대 처벌법은 '궁예의 관심법'이다

I. 공교육 정상화, '멈춤'의 골든타임
- 거대한 파도를 만든 하나하나의 점들 (1)
집회 1 - 교사의 생존권을 보장하라
집회 2 - 교사는 가르치고 싶다. 학생은 배우고 싶다
집회 3 - 서이초교 진상규명 촉구한다
　　　　　　아동학대처벌법을 개정하라
집회 4 - 수업 방해 대응책을 마련하라

II. 공교육 정상화, '되돌아봄'의 골든타임
- 거대한 파도를 만든 하나하나의 점들 (2)
집회 5 - 실효적인 민원 처리 시스템을 마련하라
집회 6 - 교사가 전문가다. 현장 요구 반영하라
집회 7 - 우리는 포기하지 않는다. 우리는 끝까지 한다
집회 8 - 교권보호 합의안을 지금 당장 의결하라

III. 공교육 정상화, '나아감'의 골든타임
- 거대한 파도를 만든 하나하나의 점들 (3)
집회 9 - 공교육 회복을 위한 국회 입법 촉구
집회 10 - 아동복지법 개정, 학폭업무 경찰 이관,
　　　　　　늘봄 정책 철회 촉구
집회 11 - 아동복지법 17조 5호 개정하라

아동학대 처벌법은 '궁예의 관심법'이다

부모의 방임, 폭행, 학대로 만들어진 법이 선생님들을 멍들게 하는 대한민국의 '관심법', 일명 '아동기분상해죄'가 되었다.

"KBS 드라마(2000~2002) '태조 왕건'에서 궁예가 자신에게 있다고 주장한 초능력 관심법은 남의 생각을 읽어내는 능력이다. 궁예는 관심법으로 역심을 품은 사람의 마음을 모두 꿰뚫어 볼 수 있다고 주장했다. 즉, 자기 맘대로 쥐락펴락하려는 것이다"

극소수의 학부모가 궁예의 관심법을 사용하기 시작했다. 궁예가 자신의 권력을 지키기 위해 사용했듯이, 그들은 아동복지법이라는 법의 보호(?) 아래 관심법으로 선생님들이 자기 자녀에게 품었을 역심(逆心)을 판단해 고발했다.

관심법의 무차별 고소·고발은 선생님의 교육권뿐 아니라 대다수 학생의 학습권까지도 빼앗아 교실에서 교육을 불가능하게 만들었다.

선생님들은 '학생들을 볼모(?)로 삼는다'라는 부정적인 눈길을 받으면서까지 왜, 멈춤이 필요했을까?

"생각해 보자."

선생님들이 그동안 학생이 등교하는 수업 일에 '멈춤'을 결심했던 적이 있나? 선생님들은 무책임하지 않다. 오죽하면…….

교육공무원법은 공직의 기강 확립을 위해 '궁예의 관심법'인 '아동학대 처벌법'을 적극적으로 이용하는 수단인가?

"부모의 방임, 폭행, 학대로 사회적 문제가 대두되면서 아동학대 범죄 특례법안이 개정되었다.(아동학대 중 가정내 발생, 83.2%)"

"아동학대 행위로 고발된 교사 8,413명 중 재판에 넘겨진 사람은 1.5%도 안 된다고 한다."

그럼에도 불구하고,

2021년에 개정된 교육공무원법에 '직위해제'가 가능한 대상으로 '아동복지법 제17조에 따른 금지행위(아동학대 행위)로 인해 수사 기관의 수사를 받는 자' 항목을 신설·명시해 놓았다. '직위해제'는 공직에 대한 신뢰 확보와 공직기강을 확립하기 위한 것으로 선생 님들에게는 매우 혹독한 징계이다. 그런데 최근 들어 아동학대로 신고된 교원에 대한 무분별한 직위해제 결정이 잇따르고 있다.

"교권 침해를 당한 적 있다고 답한 교사가 99.2%라고 한다. 교 권 침해 신고 6,000건 중 교육감 고발은 단 4건이다."

"빈대 잡으려다 초가삼간 태우는 우(愚)를 범하고 있다."

어느 조직, 어느 단체 심지어 종교 단체에서도 1.5%의 아동학대를 포함한 범법자가 있기 마련이다. 유독 선생님들에 대한 잣대만 엄격하다.

'공직기강 확립의 서슬만 있고, 선생님들을 지켜주고 보호하지 않는다'라는 생각이 오해일까? '아동학대 처벌법'이라는 관심법으로 국가의 지도·감독 아래 공무수행 중인 선생님들을 믿지 못하고 통제하려고 활용하는 것은 아닌지 의문이 든다.

Ⅰ. 공교육 정상화, '멈춤'의 골든타임

　폭주 기관차는 일정 속도가 지나면 멈추고 싶어도 멈출 수 없다. 그 안에 타고 있는 승객의 생명과 충돌로 인한 제2, 제3의 피해는 아무도 막을 수 없다.

　학교의 기능이 작동하지 않으려는 징조가 여러 요인에 의해서 시작되었다. 그리고 가속도를 붙였다.

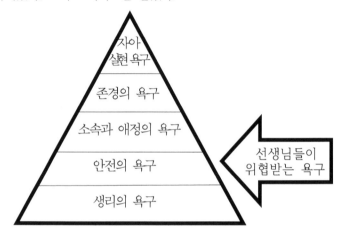

　매슬로우의 욕구 이론에 의하면 하위욕구가 만족이 되지 않고서는 상위욕구로 향상될 수 없다고 한다. 굳이 위 이론을 인용하지 않더라도 우리의 생리적 현상이 해결되어야 다음 욕구로 발전할 수 있음을 인간은 삶 속에서 느끼고 있다.

　학교와 선생님은 **하위욕구인 '안전의 욕구'를 외치고** 있다. 얼마나 힘들고 어렵고 보장된 삶을 살 수 없다고 느꼈으면 멈춤을 선택했을까? 지금 멈추지 않았으면 멈춤의 '골든타임'을 놓쳤을 것이다.

'일단 모이자' -굳잡맨-

공교육 정상화 & 공부 문맹 탈출

@ 왜, '굳잡맨'은 모이자고 했을까?

그리고, 사비를 들여 집회를 준비한 이유는 무엇일까?

@ 초등교사 온라인 커뮤니티의 선생님들은 서이초 교사의 죽음으로 직면한 위기는 무엇일까? 'Who is next?' 누구나 '본인'이 될 가능성을 염두에 둔 것이 아닐까?

@ 우리가 학생들에게 키워주고자 하는 것은 자기주도적으로 생각하고 행동하는 '굳잡맨' 같은 인간상이다. 공부 문맹 사회가 근본을 잊게 한 것이 아닐까?

(조광현, 교육언론창, 입력 2023.08.14. 17:09, 수정 2023.08.16. 10:53 https://www.educhang.co.kr/news/articleView.html?idxno=351)

서울서이초 교사의 안타까운 죽음이 알려진 뒤 한 달째 이어지는 교사들의 주말 집회. 이 집회는 초등교사 온라인 커뮤니티 '인디스쿨'에서 닉네임 '굳잡맨'이 올린 "일단 모이자"는 글에서 시작됐다.

'굳잡맨'은 제안에만 그치지 않고 집회준비단을 만들고 집회 신고까지 마쳤다. 사비를 들여 집회에 필요한 물품을 구입했다. 7월20일 첫 제안 후 이틀 만에 1만 명(경찰 추산)이 참석한 1차 교사 집회를 이끌어 교사들의 목소리가 분출되는 물꼬를 튼 주인공이다.

1차 집회 뒤 '2차 집회는 개입하지 않을 것'이라는 공지만 남겨 두고 홀연히 사라진 '굳잡맨'을 <교육언론창>이 만났다. … 자신을 "경기도 파주시 마지초에 근무하는 교사 박교순이라고 소개한 박 교사는 "순수한 집회의 의미가 왜곡될까 언론 노출을 꺼려왔다" … 인터뷰에 응한 이유를 밝혔다.

서이초 교사가 생을 마감한 다음 날인 지난 7월 19일 찾은 서이초에서 "충격과 분노가 일었다. 무엇보다 가장 큰 감정은 자책감"이라며 "뭐라도 해야 했기에 다음 날 아침 글을 올렸다"고 처음 제안한 까닭을 설명했다.

집회신고서에 참석 인원수를 200명으로 적은 박 교사는 경찰 추산 1만 명이 참석한 대규모 집회에 당황하지 않을 수 없었다. 하지만 모인 선생님들의 첫 구호 함성이 들리자 "사람의 힘이 느껴지고 갑자기 울컥하고 전율을 느꼈다"며 당시 감동을 표현했다.

▲ 집회를 처음 제안하게 된 계기는?

서이초 선생님이 돌아가신 다음 날인 7월19일 저녁 서이초를 찾아갔다. 조화가 줄지어 놓여 있고 선생님들은 울고 있었다. 집에 왔는데 잠이 오지 않았다. 젊은 선생님이 자신의 교실에서 스스로 생을 마감했다는 사실이 엄청난 충격이었고, 분노했다. 가장 큰 감정은 자책감이었다. 나는 9년 차 교사다. 선생님이 당하신 일을 나도 겪었다. 문제가 있다는 걸 알면서도 바꾸려고 행동하지 않았던 내가 부끄러웠다. 뭐라도 해야 했기에 다음날 20일 아침 초등학교 '인디스쿨'에 "함께 모이자"는 글을 올렸고 오전에 집회 신고를 했다.

▲ 집회를 제안하며 걱정은 없었나?

내가 이 일을 하는 게 맞는가 생각했다. 혹시 집회 주최가 정치 행위에 해당하지 않을까 내심 걱정됐다. 심지어 경찰에서도 1000명 이상 모일 거라고 알려줬는데 집회신고서에 200명이라고 기재해서 문제가 되지 않을까 싶었다. 벌금이나 소환 등은 각오했다.

▲ 집회를 구체적으로 어떻게 준비했나?

7월20일 오후 운영진 모집 공고 글을 올렸다. 카톡방을 개설하고 27명의 운영진을 꾸리고 오후 6시에 줌으로 첫 회의를 했다. 자기소개나 인사도 없이 바로 회의를 시작했다.

재정, 홍보, 디자인, 진행, 안전 등 5개 팀을 꾸리고 인원 배정을
했다. 피켓, 모자, 조끼, 트럭, 성명서 작성, 포스터 등 급한 것
먼저 해결했다. 늦은 시간이었지만 필요한 것은 물품 발주도 시작
했다. 발주 넣는 선생님 자비로 일단 지출했고, 영수증을 카톡으로
보내주면 내 개인 돈으로 바로바로 입금해 드렸다.

  운영진 모두 집회는 처음이라 체계도 없었다. 급한 대로 요청
하면 시간 여유가 있는 사람들이 서로 도왔다. 그동안 학교에서
각종 행사와 문서작성에 시달렸는데 이번에 그 경험이 큰 도움이
됐다. 우리 선생님들은 정말 능력자들이다.

- 1차 집회 -
교사의 생존권을 보장하라!
[팻말] "교사 생존권 보장"

공교육 정상화 & 공부 문맹 탈출

@ "일단 모이자"라는 글로, 어떻게, 왜, 불과 이틀 뒤에
1만 명이나 모인 것일까?

@ 서이초 선생님은 왜, 학교 밖이 아닌 학교 내에서
목숨을 끊었을까? 어떤 메시지를 주고 싶었던 것일까?

@ 민원이 얼마나 심했으면 선생님들은 생존에 위협을
느꼈을까? 선생님을 보호해주는 곳은 있는가?

(전재훈, 뉴시스, 입력 2023.07.22. 오후 4:24
https://n.news.naver.com/article/003/0011989734)

최근 학교에서 스스로 목숨을 끊은 초등교사를 추모하고, 사망 경위에 대한 진상규명을 촉구하기 위해 교사들이 길거리로 나왔다. 이들은 교사에게 행해지는 학생들의 폭력과 학부모의 악성민원으로 인한 피해가 일상화됐다며 교사 인권 보호를 요구했다.

22일 서울 종로구 보신각에서 개최된 '서이초 교사 추모 및 진상 규명 촉구 집회'에는 집회 측 추산 5000여명의 교사 등 관계자들이 참석했다. 검은 옷 차림의 교사들은 '교사 생존권 보장'이라는 문구가 적힌 피켓을 들고 보신각과 종로타워빌딩, 영풍빌딩, SC제 일은행 본점 빌딩 앞에 나눠 앉아 "교사의 생존권을 보장하라"고 외쳤다.

이들은 교사들을 위기로 몰고 있는 환경을 개선하기 위해선 학 부모의 인권침해 여부 등 숨진 서이초 교사의 사망 경위를 밝혀야 한다고 주장했다. 아울러 학부모의 악성민원과 학생들의 폭력으로 부터 교사를 보호하기 위한 제도적 조치가 급하다고 입을 모았다.

발령 2년 차 신규 교사 A씨는 무대에 올라 "누구 하나 죽어야 상황이 나아진다며 우스갯소리로 버티던 우리는 소중한 동료 선생을 잃었다. 나에게도 일어날 수 있는 일"이라고 지적했다. 그는 "교사가 정당한 생활지도를 할 수 있게 교사를 보호하고 악성 민원인을 엄벌해 달라. 아이들의 권리를 찾는 것도 중요하지만, 본인의 의무와 책임을 다할 수 있는 것도 중요하다"라고 말했다.

무대에 오른 한 교사는 "안하무인 태도 보이는 학생들에게 내가 취할 수 있는 태도는 정해져 있고, 아이들은 그걸 잘 알고 나의 마음에 상처 내는 칼로 이용한다"라고 토로했다.

1년 차 교사 이모씨는 "시도 때도 없는 민원, 모욕감 주는 말과 행동, 폭력, 교권 침해는 수도 없이 발생한다. 어느 학교에서나 볼 수 있는 일상이다. 그런데 교권을 보호하고자 하는 제도적인 움직임은 보이지 않는다"라며 "실질적인 교권 보호 및 교권 침해 방지를 위한 제도적 변화를 보여달라"고 했다.

경기도에서 교사로 일하고 있다는 강모씨도 "학부모의 무차별 폭언과 갑질에 정신이 병들고, 학생의 폭력엔 대응할 수 없다. 교권 침해 문제는 곧 생명의 문제다. 교사 생존권 보장을 위한 대처 방안을 교육부에 강력히 요구한다"라고 말했다.

예비 교사도 무대에 올라 교권 보호를 요구했다. 내년 임용을 앞뒀다는 B씨는 "아이들을 옳은 길로 이끌고자 교육대학을 왔는데, 손 놓고 지켜보기만 하는 것이 현실이라면 교사가 될 이유가 없다"라고 했다.

서울시교육청에 따르면 지난 18일 오전 서초구 한 초등학교에서 교사가 극단적 선택을 했다. 경찰은 정확한 사망 원인 등을 밝히기 위해 수사가 중이다. 각종 커뮤니티에서는 숨진 교사가 학교폭력 업무를 담당하면서 학부모 민원에 시달려왔으며, 특정 학부모가 지속적으로 악성 민원을 제기했다는 의혹이 제기되고 있다.

교사는 가르치고 싶다! 학생은 배우고 싶다!

[팻말] 교사의 교육권 보장하라

공교육 정상화 & 공부 문맹 탈출

@ 아동학대 처벌법으로 선생님들의 생활지도는 불가능해졌다. 생활지도 없는 교육이 가능할까?

@ 교육부는 공인으로서의 선생님들을 신뢰하는가? '직위해제'의 남용이 꼭 필요했는가?

@ 생활지도와 학습지도가 분리될 수 있는가? 선생님의 교육권과 학생의 학습권이 별개인가? 우리나라는 교육의 진정한 목적을 잊은 것은 아닌가?

(송현주, 이코노미스트, 입력 2023-07-29 16:54
https://economist.co.kr/article/view/ecn202307290011)

전국 교사들이 29일 오후 서이초등학교 교사 사망 사건과 관련해 2차 대규모 도심 집회를 열었다. 전국 교사들은 이날 오후 2시부터 서울 광화문 앞에서 '7·29 공교육 정상화를 위한 집회'를 개최하고 있다. 지난 22일 서울 종로구 보신각 앞에서 집회를 개최한 데 이어 2번째 전국 규모 집회다. 이날 집회에서 교사들은 SNS와 온라인 커뮤니티 등을 통해 참가 신청을 했으며, 1차 집회와 마찬가지로 검은색 옷차림으로 참석해 '공교육 정상화' 등의 구호를 외쳤다.

주최 측은 모두 발언에서 "교육의 3박자는 교사와 학생, 학부모다. 교사는 수업을 연구하고 공동체 생활에서 응당 배워야 할 생활지도를 한다"라며 "학생에게는 그것을 받아들이는 올바른 태도와 집중이 필요하며, 가정은 학생이 개인의 삶 속에서 배움이 연장될 수 있도록 학교 교육과 흐름을 같이 해 전임적으로 지도를 해야 한다"라고 밝혔다.

이어 "지금의 교육 현장은 아수라장이 됐다"라면서 "우리는 아동학대처벌법 개정을 요구한다. 현재 아동학대처벌법으로는 교사들에게 소명할 기회를 제공하지도 않고 진상조사도 없이, 단순 신고만으로도 불합리한 직위해제를 당하고 수사기관에 고발당한다"라고 지적했다.

주최 측은 "교육 당국은 교권 침해의 원인을 제대로 진단하고

처방하라"고 촉구하면서 최근 교육 당국이 발표한 대안들에 대해
"현장에 대한 이해 없이 모호하고 실효성 없는 대책들은 또 가슴
아픈 사례가 반복될 수밖에 없는 방안들"이라고 비판했다.

경찰 수사도 진행되고 있다. 경찰은 교사의 극단적 선택 배경이
'학부모 갑질'이란 의혹이 제기되고 있는 상황에서 서이초 교사들을
상대로 참고인 조사를 진행하고 있다. 경찰은 교장 등 60여 명의
교사 전원을 참고인으로 조사한다는 방침이다.

한편 이날 집회 참석자들은 모두 서이초 교사의 죽음을 추모하기
위해 검은색 옷을 입었다. 무더위 속 양산이나 플래카드로 뜨거운
햇볕을 피하면서도 자리를 지키며 '안전한 교육환경 조성하라', '교
사의 교육권 보장하라' 등의 플래카드를 들고 구호를 외쳤다. 주최
측은 추모를 뜻하는 검은색 리본 배지를 나눠줬고, 더위로 인한
불상사를 막기 위해 물을 제공하기도 했다.

공교육 정상화 & 공부 문맹 탈출

@ 아동학대의 대부분은 학교 밖에서 이뤄진다. 그런데 왜, 학교가 아동학대 처벌법의 주요 대상이 되었는가?

@ 선생님들을 아동학대의 잠재적 범죄자로 보는 교육 환경에서 정상적인 교육이 가능한가?

@ 교권 침해 신고에 대한 교육감 고발이 매우 희소하다. 교권 침해가 아니어서 고발을 안 했나? 고발해도 승산이 없기에 고발하지 않았나?

기사 1.

(구서윤, 아이뉴스24, 입력 2023.08.05. 16:56
https://www.inews24.com/view/1619971)

　서이초등학교 교사 사망 사건의 진상 규명과 교권 회복을 위해 교원들이 3차 집회를 열었다. '전국교사일동'은 5일 오후 2시 서울 종로구 정부서울청사 앞에서 '교사와 학생을 위한 교육권 확보를 위한 집회'를 열었다. 이날 집회에는 5만 명(주최 측 추산)의 교사들이 참가했다. 지난 2차 집회(3만 명 추산)보다 늘어난 수치다. 지방에서도 3천여 명의 교사들이 버스 80여 대를 대절해 상경했다.

　검은 옷을 입고 골목까지 가득 메운 교사들은 "아동학대 처벌법 개정하라" "일원화된 민원창구 마련하라" "수업방해 대응체계 마련하라" 등의 구호를 외치고 손팻말을 흔들었다. 이날 집회에는 지난달 18일 교내에서 숨진 채 발견된 서이초 1학년 담임교사의 유가족도 참석했다.

　2년 차 새내기 교사였던 고인의 사촌오빠는 "제발 부디 제 동생의 억울했던 상황의 진상을 조사해달라"며 "조사에서 끝나는 게 아니라 반복되지 않게 해달라"고 호소했다.

　교육 당국의 변변한 보호가 없었다는 지적에 분노하는 반응이 쏟아졌다. 수많은 교사가 폭언 및 법적 고발 등에 노출된 상황을 해결하기 위해 아동학대 처벌법 개정을 통한 안전한 교육환경 조성도 촉구했다.

　한편 한낮 기온이 35도를 오르내리는 폭염 속에 일부 선생님들이 고통을 호소해 곳곳에 있는 안전요원들의 도움을 받기도 했다. 이날 현장에는 구급차 2대가 대기했다.

기사 2.

(https://wspaper.org/article/29753, 서지애, 노동자연대, 기사입력 2023-08-06 14:17)

교사들은 특히 열악한 교육 환경을 방관하고 책임을 교사들에게 떠넘기는 교육 당국을 규탄했고, 개선책 마련을 촉구했다.

거제에서 온 한 초등교사는 가르치는 일 말고도 교사의 업무가 너무 과중한데, 막상 교사에게 교육과정 편성권, 평가권, 생활지도권 등을 보장하지는 않고 있는 현실을 규탄했다. 정부와 국회가 법과 제도를 개선해 교사의 권한을 보장할 책임이 있다는 비판이었다.

학교폭력과 교권보호 업무를 해 온 한 재직 26년차 초등 교사는 올해 상반기만 해도 24건의 학교폭력을 처리했다고 했다. 그 과정에서 교사들의 무기력함과 학부모의 악성민원이 얼마나 고약한지 토로했다.

- 4차 집회 -
수업 방해 대응책을 마련하라
[팻말] 생활지도권 보장, 아동복지법 개정

공교육 정상화 & 공부 문맹 탈출

@ 선생님들은 극소수 학생으로 인해 다수의 학생들이 침해받는 학습권과 인권을 어떻게 보호할 수 있을까?

@ '극소수 학생으로 인해 수업 방해 받는다고 민원 내는 학부모', '수업 방해하는 극소수 학생 학부모의 역(逆) 민원'에서 선생님을 어떻게 지켜낼 수 있을까?

@ 아동학대 신고를 당한 선생님들, 무죄 판결이 되어도 이미 심하게 멍든 선생님들의 가슴은 누가, 어떻게 치유해 줄 수 있는가?

기사 1.

(김경식, 이프레시스뉴스, 입력 2023.08.12. 23:46
https://www.newsfs.com/news/articleView.html?idxno=35864)

서울 서초구 서이초등학교에서 숨진 교사를 추모하는 전국 교사들의 4차 대규모 집회가 열렸다. 비에 젖은 도로에 앉은 채 '아동방지법', '생활지도권 보장' 등이 적힌 피켓을 들고 교육권 보장과 공교육 정상화를 위한 법 개정을 촉구했다. 12일 오후 2시 종각 앞에서 지하철 2호선 을지로입구역까지 한쪽 차로를 가득 메운 3만여 명은 오락가락하는 비속에서도 집회를 진행했다.

지난달 22일 처음 시작한 추모 집회에 이날 처음으로 교원단체가 참여했다. 교사노동조합연맹, 새학교네트워크, 실천교육교사모임, 전국교직원노동조합, 좋은교사운동, 한국교원단체총연합회 등 6개 단체는 집회에서 '안전한 교육환경을 위해 조속한 법 개정을 촉구하는 공동결의문'을 발표했다.

전국교육대학교 교수협의회도 이날 집회에서 성명을 발표했다. 배성제 춘천교육대학교 교수(협의회 회장)는 "현 사태는 한 교사의 안타까운 사연이 아닌 이 땅의 모든 교사가 마주한 교권 추락의 현실이자 전체 공교육의 붕괴"라며 "이런 일이 더 이상 일어나지 않도록 모든 수단을 동원해 총력 대응하겠다"라고 밝혔다.

기사 2.

(서지애, 노동자연대. 기사입력 2023-08-13 12:54
https://wspaper.org/article/29785)

서이초 교사의 죽음으로 촉발된 교사들의 대규모 집회가 서울 도심에서 네 번째 열렸다. 전국에서 모인 수만 명(주최 측 추산 4만 명)의 교사들은 국회와 교육부를 향해 '아동복지법 개정', '생활지도권 보장'을 요구했다.

이번 집회는 지난 집회들보다 더 구체적으로 법 개정과 제도 신설을 주문한 게 특징이었다. 그래서 연단의 발언도 정치권과 교섭할 교원단체 6곳, 시도교육감 협의회, 여야 국회의원들로 주로 채워질 예정이었다. 그러나 무슨 이유에서인지 시도교육감 협의회와 국민의힘 측 국회의원은 불참했다.

집회 주최 측은 아동복지법 17조 5호에서 금지하는 '정서적 학대행위'를 교사들에게 악용하는 경우가 많으니 이를 개정하라고 요구했고, 법령과 학칙으로 정해진 생활지도는 아동학대가 아님을 법에 명시하라고 요구했다. 연단에 오른 전교조·교총 등 교원단체 6곳도 유아교육법, 초중등교육법, 아동학대처벌법, 아동복지법, 교원지위법 등의 법안 개정을 위해 힘을 모으겠다고 했다.

또 집회 주최 측은 교사의 생활지도권 보장을 위해 학부모 민원에 대한 교육청·교육부 책임을 명시하고, 실효성 있는 민원 관리 시스템과 수업 방해 학생 분리 등을 제도화하라고 요구했다. 특히 교사 혼자서 학생 20~30명을 일일이 신경 써서 대해야 하는 상황에서, 교사가 문제 행동을 보이는 학생까지 홀로 가르치는 게 얼마나 힘든지 토로하는 발언이 많은 공감을 얻었다. 이 때문에 서울초등수석교사회나 교원단체 등은 수업 방해 학생 분리 조치 등 대응 체계, 정서적 위기 학생을 상담교사와 전문가와 협력해 지원하는 시스템이 대안임을 주장했다.

한편 국민의힘 측 국회의원이 오지 않아, 집회에 참가한 더불어민주당 강민정 의원은 간단한 인사만 허락됐다. 강민정 의원은 교육 환경을 결정하는 게 바로 정치라며, 교사도 정치적 기본권을 보장받아야 교육을 제대로 바꿀 수 있다고 주장했다. '정치 배제'를 천명해 온 집회 주최 측의 기조와 모순되는 주장이었지만, 참가자들은 강 의원 발언에 대체로 호응했다.

그도 그럴 것이 지금 교사들은 국가(교육부와 교육청 등)를 상대로 교육 환경 개선을 요구하고 있다. 그런데 정치적 주장과 행동 없이 어떻게 국가에 요구하고 싸울 수 있겠는가.(관련 기사: "정치 배제"는 공상적인 데다 바람직하지도 못하다)

이런 점에서 최근 정부가 교사 수 감축 계획을 발표했는데 이에 대한 비판이 없었던 것은 큰 아쉬움이 남는다. 서이초 교사의 죽음이 과도한 업무와 수많은 민원 처리와 관련돼 있음을 고려하면 교사 증원 등 인력 충원이 꼭 필요하기 때문이다.

이날 모인 교사들은 앞으로도 법 개정을 위해 집회를 이어 가기로 했다. 다음 주말부터는 국회 앞에서 집회가 열릴 예정이다.

Ⅱ. 공교육 정상화, '되돌아봄'의 골든타임

"세상은 생물처럼 언제나 변화한다."

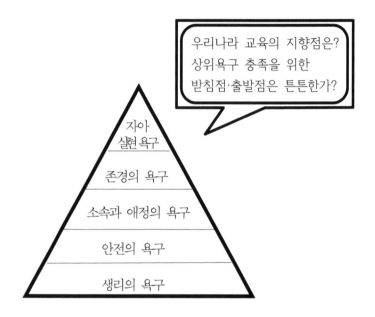

변화의 물결에서 사람이 매일매일 일기를 쓰듯이 공교육의 현실을 되돌아봐야 한다. 아무리 심사숙고한 선택일지라도, 지금 상황에서 아무리 훌륭한 정책일지라도 시간의 흐름 속에서 최선의 선택이 아닐 수 있다.

늘 반성적(反省的) 태도를 유지해야 한다. 멈춤이 없으면, '되볼아봄'도 불가능하다. 멈춤이 '되돌아봄'의 골든타임을 연장시켜 준 것이다. 교육의 받침점·출발점은 현장의 선생님임을 상기하자.

'처음으로 사람의 힘 느껴...전율을 느꼈다'-굳잡맨-

공교육 정상화 & 공부 문맹 탈출

@ 집회를 준비하며 가장 주안점을 둔 것이 정치색을 배제하는 것이었다 한다. 왜 그랬을까? 그만큼 선생님들의 생존권이 절실했던 것이 아닐까?

@ 학교는 국가 수준에서 끊임없이 요구하는 갖가지 교육으로 학교 내에 과부하 된 업무 피로도, 직원 간의 증폭되는 갈등을 어떻게 감소시킬 수 있는가?

@ 교육부는 공교육 정상화 & 공부 문맹 탈출을 위해 선생님들의 '자기효능감'과 '교사로서의 자신감'을 키우는 방안은 무엇일까?

(조광현, 교육언론창, 입력 2023.08.14. 17:09, 수정 2023.08.16. 10:53, https://www.educhang.co.kr/news/articleView.html?idxno=351)

▲ 집회를 준비하며 가장 주안점을 둔 것은 무엇인가?

정치색을 배제하는 것이다. 순수한 교사들의 집회로 만들고 싶었다. 어떤 단체나 세력의 개입과 제안도 거부했다. 우리는 생존권, 교사들이 사느냐 죽느냐 하는 문제로 접근하고 있다. 교사들이 처한 현실을 그대로 말하고 싶었다. 그래서 집회를 준비하는 우리가 개인의 이익을 챙기거나 어떤 입장을 대변하는 게 아니냐는 의혹을 사지 않도록 주의하고 경계했다. 선생님들의 뜻이 왜곡되어 전달되지 않도록 말과 글에서 조심하고 또 조심했다. 순수한 우리 선생님들의 의견을 모아 진정성 있는 집회를 만들고 싶었다.

▲ 자발성에 바탕한 집회인데도 이렇게 대규모가 된 이유는 무엇이라고 보나?

아이들 가르치는 일만 해왔던 초등학교 선생님들이 만든 집회라 그런 것 같다. 나중에 인원 추산을 하는데 대략 5000명이라고 발표했다. 경찰은 1만명이라고 했다. 경찰에선 주최 측 발표 인원보다 경찰 추산 인원이 더 많은 건 이례적이라고 말했다. 우리는 이 집회에 담긴 교사들의 진정성을 가능한 알리고 싶었다. 정치적 연관성, 특정 단체와 관련성은 전혀 없음을 강조하고 싶었다.

▲ 첫 집회에서 가장 감동적인 순간은?

첫 구호 제창을 할 때다. 처음에는 예상외로 많은 선생님이 지방에서 올라와 거리를 가득 메워도 아무 생각이 없었다. 무엇보다

'안전'에 온 신경을 쓰고 있었기 때문에 감동을 느낄 틈이 없었다. 그런데 선생님들이 다 같이 구호를 외치는데 태어나서 처음으로 사람의 힘을 느꼈다. 갑자기 울컥하고 전율을 느꼈다. 여기 모인 선생님들은 동원된 사람들이 아니다. 순전히 개인의 판단으로 온 사람들이다. 그렇게 모인 선생님들이 같이 공감하고 눈물을 흘리며 한목소리로 외치는 모습과 함성 소리에 감동하지 않을 수 없었다.

▲ 교사 집회의 성과는 무엇이라고 보는가?

자기효능감의 확인이라고 할까, 선생님들도 세상을 바꿀 수 있다, 할 수 있다는 가능성을 보고 자신감을 얻었다. 그리고 집회에 참석하는 것만으로도 그동안 쌓였던 마음의 병이 치유되는 효과도 얻은 것 같다. 나의 고통이 우리의 고통이라는 것을 알게 되었다. 내가 교사 자격이 없고 자질이 부족해서 교장에게 학부모에게 당했던 것이 아니라 구조적 문제가 있다는 걸 깨닫게 되었다. 집회가 이어지며 '끝까지 해보자'는 생각이 강해졌다.

▲ 1차 집회를 마치고 2차 집회를 하지 않는다고 했는데?

1차 운영진은 특정 단체가 아니다. 교사 개인들이 자발적으로 모인 건데 2차, 3차까지 잡고 계속한다면 집회를 시작한 순수한 의도가 왜곡될까 조심스러웠다. 그래서 1차 운영진의 역할은 선생님들의 목소리를 모으고 가슴 속 상처를 조금이나마 치유한 것으로 마무리하는 것이 맞다고 생각했다.

그동안 교육부와 교육청은 교사를 갈라치기 해 왔다. 그 결과 모든 탓은 교사로 향하게 되었고, 교사들끼리 싸우고 서로에게 폭탄을 돌리며 고통받는 상황이 계속됐다. 이번마저 갈라치기로 정쟁화되는 것을 절대 원하지 않는다. 직급으로, 나이로, 경력으로, 성별로 어떠한 편가르기도 용납할 수 없다. 우리는 누구 탓을 하기 위해 모이지 않았다. 해결하기 위해 모였다. 이번만큼은 편가르기에 당하지 않고, 특정 단체의 개입도 없이 순수하게, 진정성 있게 선생님들의 목소리를 제대로 전달하고 싶다.

▲ 2차, 3차, 4차 집회는 어떻게 준비됐고, 다음 주 5차 집회 준비는?

　내가 첫 집회를 제안했던 것처럼 각 집회가 끝나자 다음 집회 제안자가 나섰다. 실명을 밝히지 않는 게 기본이기 때문에 2차는 '수학귀신', 3차는 '네시사십분만기다려요', 4차는 '군밤장수'가 제안했고 5차는 '서울서울서울'이 준비하고 있다. 매 집회는 각 운영진에서 결정하지만 '주최는 1회 제한', '시간은 2시~4시', '공개모집을 통한 운영진 구성' 등은 1차 집회의 포맷이 유지되고 있다. 결국 특정 단체나 정치색을 배제하고 순수한 교사들의 목소리를 내기 위한 과정이다.

실효적인 민원 처리 시스템을 마련하라!

[팻말] 억울한 교사 죽음 진상 규명, 아동 학대 관련법 즉각 개정

공교육 정상화 & 공부 문맹 탈출

@ 자녀의 주머니 혹은 가방에 녹음기를 넣어 학교에 자녀를 보내는 사회에서 교육이 가능할까?

@ '교육부와 교육청의 업무 폭탄 돌리기 등으로 교직원 끼리 갈라치기를 하는 것'에 학교장도 의도치 않게 동참하는 것은 아닐까?

@ 선생님들도 학교 내의 교장·교감을 동료가 아닌 갈라치기 대상으로만 인식하는 것이 아닐까에 대해 자문하는 것은 어떨까? 우리 스스로가 갈라치기 문화에 중독된 것은 아닐까?

기사 1.

(하성환, 오마이뉴스, 2023.08.20. 11:43, 최종 업데이트 23.08.20 11:43
https://www.ohmynews.com/NWS_Web/View/at_pg.aspx?CNTN_CD=A00
02954091&CMPT_CD=P0001&utm_campaign=daum_news&utm_source
=daum&utm_medium=daumnews)

서이초 교사의 비극을 추모하는 5차 교사 집회가 8월 19일(토) 국회 앞에서 열렸다. 5만 명이 넘는 교사들이 검은 옷을 입고 국회를 정면으로 바라보는 국회대로 도로를 가득 메웠다.

여의도 공원에서 국회의사당역 2번 출구 방향으로, 그리고 여의도 자연 생태 숲에서 5번 출구 앞까지 긴 차도 양쪽을 가득 메웠다. 이날 한낮 기온이 33도를 넘었다.

교사들은 한 목소리로 절규했다. "무법지대를 교육 안전지대로"만들 것을 외쳤다. 그리고 입법기관인 "국회가 즉각 행동하라"고 촉구했다.

이날 5차 집회에 모인 5만 명이 넘는 교사들은 악성 민원인을 처벌할 수 있는 법 개정을 촉구했다. 또한 문제행동 학생에 대해 즉시 분리 조치해 다수 학생들의 안전과 학습권 보호를 강조했다. 무엇보다 서이초 교사의 원통한 죽음에 대해 '진상 규명'을 한목소리로 외쳤다. 나아가 '아동학대 처벌 관련법'을 즉각 개정해서, 교사의 교권을 보호하고 아이들의 학습권을 지킬 수 있는 최소한의 장치를 마련해달라고 촉구했다.

오늘 집회에선 전국에 걸쳐 학교장 803명이 공동으로 성명서를 발표했다. 성명서를 낭독한 학교장은 "우리 지치지 말자"라며 "집회 참여 교사들과 함께하겠다"라고 교사들을 격려했다. 그러면서 '교사에게 가르칠 환경을' 만들어 주고 '학생이 성장할 환경을'

마련해 줄 것을 국회, 교육부, 교육청에 촉구했다.

학교장 성명서 낭독이 끝나자 이번엔 "국회 지붕을 날려버릴 수 있도록 함께 노래하자"라고 외쳤다.

이날 집회에서 교사들은 "교육전문가는 교사이며 현장 교사들의 목소리를 반영해서" 시스템을 바꾸고 정책을 세울 것을 촉구했다.

폭염과 뜨거운 아스팔트 열기에도 집회 참여 교사들은 미동도 없이 차도와 인도를 가득 메웠다. 나아가 오는 9월 4일까진 국회가 행동으로 나설 것을 촉구했다. 한편 이날 집회에는 학생들도 참여해 발언했다. 학부모도 일부 참여해 교사들의 목소리에 힘을 보탰다.

기사 2.

(소봄이 뉴스1, 2023-08-21 11:38 송고, https://www.news1.kr/articles/?5146078)

시각장애인 특수교사가 2년 전 가출한 학생을 지도하다가 되레 아동학대 혐의로 고소당해 합의금을 물어준 사연이 전해졌다.

지난 19일 서울 영등포구 국회의사당역 일대에서 서이초 교사 추모 5차 집회가 열린 가운데, 이날 시각장애 특수교사 이대희씨는 단상에 올라 2년 전 겪은 학부모 갑질 피해를 고백했다.

대전에서 장애 학생을 18년 동안 지도했다고 밝힌 이씨는 "2021년 11월13일, 오전 8시20분쯤 전날 가출한 학생을 생활지도 했다. 해당 학생의 학부모가 생활지도를 요청했고, 이에 따라 학생을 훈육했는데 학생 주머니에는 녹음기가 있었다"고 말했다.

이어 "저는 아동학대 혐의로 경찰에 고소당했고, 압수수색과 두 차례의 경찰 수사를 받았다"며 "결국 2500만원의 합의금을 주고 사건은 마무리됐다"고 밝혔다.

이씨는 "학생의 성장을 위해 필요한 생활지도가 지금 우리 현실에서는 가능하겠냐"며 "아무런 생활지도 없이 (학생을) 바라만 보는 것이라면 학교는 학원과 무엇이 다른가"라고 목소리 높였다.

그러면서 "학생에게 고소당하지 않고 생활지도하는 방법을 찾고 싶다. 우리 학생들의 미래를 지키고 싶다. 우리는 아이들과 함께 살고 싶다"고 울부짖었다.

이씨의 모습은 갈무리돼 21일 여러 커뮤니티로 빠르게 퍼지고 있다. 누리꾼들은 "애를 가출하게 만든 게 부모인데 몰래 녹음하고 교사에게 돈을 뜯어내냐. 정말 악마 같다"고 분노했다.

교사가 전문가다! 현장 요구 반영하라!

[팻말] 교사죽음 진상규명, 현장요구 즉각반영

공교육 정상화 & 공부 문맹 탈출

@ 왜, 집회에서 지속적으로 '교사 죽음'에 대한 진상 규명을 외치는 것일까?

@ 교육은 교사가 전문가라고 외친다. 지금까지는 교육에 관한 의사결정에 교사가 전문가로서 참여하지 못했다는 것이 아닌가?

@ 선생님들은 연가·병가·재량휴업 등을 통한 '공교육 멈춤' 움직임에 대해 왜, 갑론을박이 일어나고 있을까?

기사 1.

(정다은, 이프레시스, 입력 2023.08.26. 22:08
https://www.newsfs.com/news/articleView.html?idxno=35980)

26일 오후 2시 서울 영등포구 여의도 국회 앞에서 전국 교사들이 '국회 입법 촉구 추모 집회'에서 참가자들이 손팻말을 들고 구호를 외쳤다. 이들은 지난 7월 22일부터 주말마다 공교육 정상화와 서초구 서이초등학교 교사가 숨진 사건의 진상 규명을 위한 집회를 열고 있다.

이날 서울 기온이 33도 안팎을 기록하는 무더운 날씨였지만 제6차 집회에는 경찰 추산 2만 명, 주최 측 추산 6만여 명 이상의 전국 교사들이 참석했다. 이들의 굳은 얼굴에는 비통한 표정이 묻어났다. '현장 요구 즉각 반영', '교사 죽음 진상 규명'이란 글귀가 적힌 손팻말을 들고 외친 목소리가 더 뜨겁고 절실했다.

기사 2.

(조수정 김진엽, 뉴시스, 등록 2023.08.27 00:37:27수정 2023.08.27. 09:52:05
https://newsis.com/view/?id=NISX20230827_0002427308&cID=10201&pID=10200)

교권 보호 입법을 촉구하는 전국 교사들이 26일 여섯 번째 주말 도심 집회를 열었다.

전국 교사들은 이날 오후 2시께 서울 국회의사당역 인근 국회대로 일대에서 6차 '국회 입법 촉구 추모집회'를 열고 ▲교사 목소리를 반영한 교육 정책 및 법안 개정 ▲공교육 살릴 법안 즉각 입법 촉구 등을 요구했다. 이들은 현재 교육권 보장과 관련된 10여 개의 법안이 제출돼 있다며 "국회는 서이초 교사의 49재인 9월4일까지 입법을 서두르라" 했다.

교육계에 따르면 전국 교사들은 내달 4일을 '공교육 멈춤의 날'로 제안, 학생들의 학습권 침해를 우려하는 교육부와 충돌하는 상황이다.

이날 집회에서 교사들은 또 극단 선택을 한 서이초 교사 사건에 대해서 진상 규명이 필요하다고 촉구했다. 이들은 "그동안 나온 수사 발표들은 납득하기 어려운 내용"이라며 "명확하고도 확실한 진상규명을 요구한다"고 했다.

기사 3.

(서한샘, 뉴스1, 2023-08-28 12:21 송고, https://www.news1.kr/articles/?5153009)

다음 달 4일로 예정된 서이초 사망 A교사 49재 대규모 추모 집회에 교육부가 강경 대응 기조를 내세우면서 교사들 사이에서 집회를 철회하는 움직임이 나타나고 있다. 다만 연가·병가·재량휴업 등을 통한 '공교육 멈춤' 움직임은 계속될 전망이다.

28일 교육계에 따르면 '9·4 49재 서이초 추모 국회 집회' 운영팀은 전날 초등교사 커뮤니티 '인디스쿨'에 "집회를 전면 취소하고 운영팀은 해체한 뒤 하나의 점으로 돌아가는 게 맞다는 결론을 내렸다"고 밝혔다.

전국 상당수 교사는 지난달 18일 서울 서이초에서 사망한 A교사의

49재인 9월 4일을 '공교육 멈춤의 날'로 지정하고 연가·병가·재량휴업을 통한 우회 파업 등을 예고했다. 일부에서는 연가·병가·재량휴업에 더해 국회 앞에서 모여 대규모 추모 집회를 열려는 움직임도 있었다.

다만 집회 개최에는 교사들의 의견이 분분했다. 연가·병가 등을 내고 집회에 참여할 경우, 위법 요소가 있기 때문이다.

운영팀은 "지난주부터 집회 때문에 재량휴업일, 연가, 병가를 쓰기 어렵다는 말이 많았다"며 "9월4일에 학교를 멈추고 추모를 하려는 분들에게 불안과 걱정을 낳는다면 지금이라도 국회 앞 집회를 취소해야 한다는 의견이 많았다"고 했다.

교육부에서 강경 대응을 예고했던 것도 연가·병가를 활용한 불법적인 집회 참석이었다. 교육부는 전날 보도 참고자료를 내고 "9월4일 집단행동은 관련 법령을 위반하고 학생들의 학습권을 침해하는 불법행위에 해당한다"고 규정한 바 있다.

이 같은 엄포에 교사들이 9월4일 집회를 철회했지만, 교사 개개인의 연가·병가 움직임은 여전히 이어질 전망이다.

한 초등학교 교사는 "정말 아파서 병가를 내겠다는데 정당한 사유가 아니라며 반려하거나 제재한다면 그게 더 문제가 아니겠는가?"라고 지적했다. 인디스쿨에서도 일부 교사들은 "병가를 사용하고 진단서를 떼 제출한다면 문제가 없을 것"이라는 반응이 속속 나오고 있다.

이와 관련 교육부 관계자는 이날 출입기자단 정례브리핑에서 집회 참석 목적이 아닌 연가·병가에 대해 "병가·연가에 당연한 사유가 있다면 문제가 없겠지만 당연한 사유가 아닌 다른 이유로 이를 냈다면 사안마다 경우를 따져 복무를 점검할 것"이라고 밝혔다.

한 교사의 제안으로 지난 15일부터 현재까지 진행되고 있는 '공교육 정상화의 날' 동참 서명 운동에 따르면, 이날 오전 11시 30분 기준 집단행동에 나서겠다는 의사를 표현한 인원은 전국 8만 2,544명이다. 9월 4일을 재량휴업일로 지정한 학교도 481개교로 늘었다.

한편 전국교직원노동조합(전교조)과 실천교육교사모임은 교사들의 집단 행동을 불법행위로 규정한 이주호 부총리 겸 교육부 장관을 직권남용으로 고발한다고 각각 밝혔다.

전교조는 "재량휴업일은 학교의 사정에 따라 마땅히 사용할 수 있는 학교의 재량이며 교사들이 사용하는 조퇴나 연가는 교육활동에 지장을 주지 않는 범위 내에서 사용할 수 있는 기본적 권리"라며 "학습권 침해나 불법이라는 표현이야말로 거짓 선동이며 불법적으로 권한을 남용하는 자들은 교육부와 그 수장인 이주호 장관"이라고 비판했다.

- 7차 집회 -
우리는 포기하지 않는다! 우리는 끝까지 한다!
[팻말] 악성민원인 강경대응, 아동복지법 즉각개정

공교육 정상화 & 공부 문맹 탈출

@ 말없이 선생님을 지지하는 다수의 학부모도 갑질 학부모, 악성 민원인을 두려워하기에 올바른 목소리를 못낸 건 아닐까?

@ 교육부의 징계 겁박은 의사소통, 열린 마음과 유연성, 창의성 등의 미래 핵심 역량을 육성하자는 목적과 정반대의 길을 걷는 것이 아닐까?

@ 교육부는 선생님들이 왜 징계의 위험을 무릅쓰고라도 공교육 멈춤을 선택하는지 근본 원인에 대해 알고 있을까 혹은 알려고 할까?

기사 1.

(정기종, 머니투데이, 2023.9.2. 15:12)
(https://news.mt.co.kr/mtview.php?no=2023090215074576595)

2일 교육 현장 일선의 교사들이 모여 만든 단체 '교육을 지키려는 사람들'은 이날 오후 2시부터 서울 국회의사당 앞에서 '50만 교원 총궐기 추모 집회'를 진행하고 있다.

이번 집회는 지난달 18일 서울 서초구 서이초에서 A교사가 사망한 뒤 7번째 주말 집회다. 이들은 사망 직후 토요일인 7월 22일부터 매주 서울 도심에 모여 추모 집회를 열고 있다.

첫 집회일인 22일 참여 인원은 주최 측 추산 5,000명이었다. 이후 가장 최근인 8월26일 6차 집회에서는 6만 명(경찰 추산 규모는 2만 명)으로 늘었다. 특히 갑질 학부모 처벌과 아동학대처벌법·아동복지법 등 법 개정이 필요하다는 목소리가 커지며, 2주 전부터 집회 장소도 국회 앞으로 옮겨졌다.

이번 집회는 교육 당국이 내놓은 엄포에 분노가 커지며 역대 최대 규모가 전망돼 왔다. 주최 측은 이날 집회에서 최대 인원인 10만여 명이 참여할 것으로 전망해 왔다. 집회 참석을 위해 지방에서 상경하는 규모도 이미 역대 최대 수준을 기록했다. 주최 측에 따르면 지방 버스 600대 이상이 대절된 상태다. 제주도 등 섬 지역 교사를 위한 비행기 지원 좌석 수도 2대 규모로 마련됐다.

현재 온라인 커뮤니티를 중심으로 교사들 사이에서는 서이초

A교사의 49재인 4일을 '공교육 멈춤의 날'로 지정, 연가·병가·재량휴업을 통한 '우회 파업'을 진행하자는 움직임이 일고 있다. 교육부는 이를 여러 차례 불법행위로 규정하며 연가·병가를 사용해 집회에 참가할 경우 법적으로 대응하겠다는 입장을 보인바 있다.

기사 2.

(임철휘, 뉴시스, 등록 2023.09.04 07:00:00수정 2023.09.04. 07:03:00)
(https://newsis.com/view/?id=NISX20230903_0002435998&cID=10201&pID=10200)

서울 서이초 교사의 49재를 맞아 전국 교사들이 4일을 '공교육 멈춤(정상화)의 날'로 삼고 국회 앞에서 대규모 집회를 연다.

'한마음으로 함께하는 모두'라는 이름의 교사 모임은 이날 오전 서초구의 서이초 앞에서 개별 추모 활동을 하고, 오후 4시30분께부터 국회 앞에서 추모 집회를 열 예정이라고 밝혔다.

이날 집회에서 교사들은 고인의 죽음에 대한 진상규명과 5개 교원단체와 합의해 '수업 방해 학생 분리와 학교장 보호제도를 입법화해달라'는 등의 내용을 담은 '교권보호 합의안' 의결을 촉구할 예정이다.

또 교육부의 엄정 대응 등 강경 방침에 대해서도 규탄의 목소리를 낼 예정이다.

주최 측은 이날 연가·병가·재량휴업 등을 통해 '우회 파업'한 전국의 교사 1만여 명이 이 자리에 참석할 것으로 내다보고 있다.

당초 교사들의 서이초 교사 49재 추모 행동은 '국회 앞 집회'와

'공교육 멈춤' 두 갈래로 추진됐다. 그러나 교육부가 '우회 파업'을 '불법 집단행동'으로 규정, 즉각 제동에 나서면서 '9월4일 국회집회 운영팀'은 '공교육 멈춤' 추진에 부담을 주는 '국회 앞 집회'를 취소한다고 밝힌 바 있다.

이후 '한마음으로 함께하는 모두'라는 이름의 운영진이 집회를 강행하겠다는 의지를 표하면서 이날 집회가 계획됐다. 이런 가운데 서이초 교사 49재를 앞둔 교직 사회는 추모 열기가 높아지는 분위기다.

토요일인 지난 2일 국회 앞에서 열린 서이초 교사 추모 7차 집회에는 주최 측 추산 20만 명이 참석했다. 서이초 교사 사망 이후 교사들의 도심 집회 가운데 최대 규모였다.

여기에 서울과 전북의 초등학교 교사 2명이 극단적 선택을 했다는 소식이 전해지면서 분노가 더 커지는 양상이다. 한국교원단체총연합회·전국교직원노동조합 등은 일제히 교육 당국과 경찰에 철저한 진상 규명을 촉구하고 나섰다.

교육부의 공식 집계에서도 4일 임시 휴업을 공식적으로 결정한 학교 수가 늘고 있다. 집계를 1차 공개했던 지난달 29일 17개교에서 지난 1일 30개교로 2배 늘었다.

한편 이주호 부총리 겸 교육부 장관은 전날 '교권 회복 및 교육 현장 정상화를 위한 호소문'을 통해 "우리 학생들 곁에서 학교를 지켜달라"며 교사들의 집단행동 자제를 호소했다.

기사 3.

(한승연, KBS, 입력 2023.09.02. (17:00),수정 2023.09.02. (17:09))

(https://news.kbs.co.kr/news/pc/view/view.do?ncd=7763865&ref=D)

검은 옷을 입은 교사들이 국회 앞 여의도 도심을 가득 메웠습니다. 전국 교사들의 일곱 번째 도심 집회인 50만 교원 총궐기 추모 집회가 국회 앞에서 열렸습니다.

참가 인원은 주최 측 추산 20만여 명. 지난 7월 서이초 교사 사망 이후 교사들의 도심 집회가 시작된 이래로 최대 규모입니다. 교사들은 서이초 교사의 사망 49재를 이틀 앞두고 고인에 대한 추모에 집중했습니다.

교사들은 성명서를 통해 서이초 교사의 사망 원인을 철저히 수사하고 엄중히 처벌하라고 촉구했습니다. 교육부를 향해서는 아동복지법, 학교폭력예방법 등 교육 관련 법안의 개정을 위해 관련 부처와 협력해 결과를 보이라고 요구했습니다.

또, 교육 활동을 위축하는 각종 민원과 문제 행동에 대한 대응책을 마련하고, 정책 기획과 수립 과정에 교사를 반드시 포함하라고 촉구했습니다. 교사들은 아동복지법 개정과 교육당국의 책무성 강화, 통일된 민원 처리 시스템 개설 등 8가지 정책요구안도 발표했습니다.

교사들은 서이초 교사의 49재인 4일, 서이초 앞에서 개별 추모와 국회 앞 추모 집회를 이어 갈 계획입니다.

한편, 지난달 31일 서울 양천구의 초등학교 교사가 숨진 채 발견된 것과 관련해 조희연 서울시교육감은 악성 민원과의 관련성이 확인될 경우 고발 조치하겠다고 밝혔습니다. 교원단체들은 양천구 교사 사망과 관련해 학부모 악성 민원 등이 있었는지 철저히 수사하라고 촉구했습니다.

KBS 뉴스 한승연입니다.

교권보호 합의안을 지금 당장 의결하라!

[팻말] 진상규명이 추모다, 교권보호 합의안 의결하라

공교육 정상화 & 공부 문맹 탈출

@ 연가·병가를 사용해 '공교육 멈춤의 날'에 직접 참여하는 선생님, 학교에 남아서 학생들을 맞이하며 간접적으로 참여하는 선생님. 이들 모두가 한마음으로 교권보호 합의안의 의결을 힘주어 외치는 것이 아닐까?

@ 교권보호 합의안은 학습권 보호를 위함이다. 교권 보호를 선생님들의 집단적 이기심으로 보는 것은 무리가 아닐까?

@ '공교육 멈춤의 날' & '추모의 날'로 정상적인 학교 운영이 어려울 것이 명백한 데, 임시휴업 및 연가·병가 사용 금지로 일관한 교육부는 학교의 비정상 운영에 대해 책임은 없는가?

기사 1.

(박지영, 헤럴드경제, 2023.09.04. 10:21)

(http://mbiz.heraldcorp.com/view.php?ud=20230904000256)

"서이초 선생님의 49재인 만큼 선생님을 잘 보내드리는 것을 최우선으로 하려고 합니다. 교육 현장에 문제가 많지만, 오늘은 추모를 위한 날이라는 사실에 가장 큰 의미를 두고 있습니다."

서울 서이초 교사가 사망한지 49일째 되는 4일, 추모객 안내 봉사활동을 위해 서이초를 찾은 교사 A씨는 이렇게 말했다. 이날 오전 8시 30분께 서이초는 운동장과 학교 건물 입구에 추모 공간을 마련하느라 분주한 모습이었다. 서이초는 재량휴업을 결정하고 학사 일정을 하루 멈췄지만, 서이초는 검은 옷을 입고 서이초를 방문하는 교사들의 조용한 발걸음은 계속됐다.

서이초 교사 49재일 전국 곳곳에 추모 물결이 일고 있다. 개학을 앞둔 지난달 31일과 지난 3일 연달아 교사 3명이 스스로 목숨을 끊으면서 교육 현장의 추모 열기는 더욱 고조되고 있다. 학교장 재량으로 임시 휴업이 결정된 학교는 전국 30여 곳에 이르며 개인 차원에서 연가·병가를 사용해 '공교육 멈춤의 날'에 참여하는 교사도 적지 않다. 지난달 31일과 지난 1일 각각 서울 양천구 초등학교 교사, 전북 군산 초등학교 교사가 숨진 채 발견됐다. 3일에는 경기 용인에서 60대 교사가 등산로에서 스스로 목숨을 끊었다.

경상북도 칠곡 북삼고는 이날 학교 1층 교무실 근처에 '추모의 벽'

이라는 공간을 마련했다. 애도하는 마음을 표현할 수 있도록 검은 리본과 철제 파티션을 준비했다. 교사와 학생이 일과 중 추모할 수 있게 하자는 취지에서 마련했다. 학생들이 아침 일찍부터 찾았다. 북삼고 교사인 양승모 씨는 "지역색이나 학교급에 상관없이 전국 초·중·고 등 각급 학교가 현재 상황에 공감하고 있다. 학생 인권과 교권이 함께 가는 교육공동체를 위해 함께 애도하자는 뜻에서 마련했다"며 "따로 흰 꽃을 준비해 헌화한 학생도 있고, 준비된 검은 리본을 하루 동안 (가슴에) 달겠다고 한 학생도 있다"고 소식을 전했다.

제주도에서 중학교 교사로 일하고 있는 B씨(37)는 "제주도 내 교원 단체 차원에서 조합원들에게 검은 리본을 보냈다. 오늘 모두 함께 학교에 리본을 달 예정"이라며 "연가·병가 사용을 한 교사 개인도 많고 이를 존중하겠다고 의사를 표한 교장, 교감 선생님도 있다고 들었다"고 말했다. B씨는 "2일 열린 국회 앞 집회를 위해 제주도에서만 300명이 넘는 선생님들이 올라왔다"며 "교사들이 교육부 대책이 현실성이 떨어진다고 느끼면서 점점 더 많이 모이고 있다"고 덧붙였다. 2일 열린 서이초 교사 추모 7차 집회에서는 주최 측 추산 20만 명이 넘는 교사들이 모였다.

서울시내 중학교에 재직 중인 교사 C씨(30)는 "담임 학급을 맡고 있어 종례가 끝난 3시반 이후에 조퇴를 하고 집회에 갈 생각이다. 더 일찍 조퇴하시는 선생님도 있고 연가를 쓰시는 분도 있다"며 "학교 차원에서 별도로 준비한 것은 없지만 오늘 검은 복장을 갖춰 입고 나온 선생님들이 많다. 집회에 참석할지를 두고 선생님들끼리 비공식적으로 이야기도 많이 나눴다"고 전했다. 이날 오후 4시 30분부터 오후 6시까지 서울 영등포구 국회의사당 앞에서는 '한마음으로 함께하는 모두'라는 이름의 교사 모임이 주최하는 추모집회가 개최될 예정이다.

고인의 모교인 서울교대도 총학생회 차원에서 49재를 기리는 행사를 마련했다. 운동장에 분향소를 꾸리고 추모 편지를 전할 수 있는 공간을 따로 마련했다. 오후 7시부터는 서울교대 재학생과 교사, 교수들이 참여하는 추모제를 연다.

기사 2.

(조광현 윤근혁, 교육언론창, 입력 2023.09.04.15:26, 수정 2023.09.05. 16:40)
(https://www.educhang.co.kr/news/articleView.html?idxno=707)

교육 정상화를 요구하는 교사들이 서울서이초 교사의 49재를 맞아 지정한 '공교육 멈춤의 날'인 4일 서울시 전체 초등학교에서 출근하지 않은 교사의 수가 몇 명인지 정확한 수치가 집계되지 않고 있는 것으로 확인됐다.

하지만 일부 교육지원청이 비공식 집계한 결과 병가 등으로 이날 '공교육 멈춤'에 동참한 초등교사가 전체 인원의 60%를 상회하는 것으로 나타났다.

한 교육지원청 관계자는 교육언론[창]에 "우리 지역 50개교 중반의 초등학교 가운데 이날 출근하지 않은 교사는 60% 이상으로 집계됐다"면서 "이들 초교 중 80% 이상의 교사가 공교육 멈춤에 참여한 학교는 10개교 이상이고, 70% 이상 미출근 학교는 20개교 이상"이라고 설명했다.

서울시교육청 내부 사정에 밝은 한 교육계 관계자는 이날 교육언론[창]과 전화 통화에서 "교육부에서 미출근 교사의 인원을 보고하라고 교육청에 재촉했지만, 교육청은 각 초등학교에 통계 보고 등 행정 업무가 중요한 게 아니라 오늘 하루는 학교 안정화가 우선이라고 전했다는 이야기를 들었다"고 밝혔다.

그는 "정확한 통계는 교사들의 연·병가 신청 사유가 확인된 이후 교장이 결제하기 때문에 오늘 정확한 집계는 어려울 것"이라고 말했다.

이어 "학교 현장의 이야기를 종합해 보면 각 학교마다 절반 이상의 선생님들이 출근하지 않은 학교가 다수"고 전했다. 이로써 서울교육청이 교육부에 보고한 수백 명대의 연가, 병가 현황은 허수라는 것이다.

그러면서 "서울시교육청에서 근무하는 교사 출신 장학사와 직원들은 각 학교로 나가 수업을 진행하거나 학생 안전지도, 생활지도, 급식지도 등 교사들의 빈공간을 채우기 위해 안간힘을 쓰고 있는 것으로 알고 있다"고 말했다.

한편, 올 3월 기준 서울시에는 609개 초등학교에서 교원 2만 8,335명이 근무하고 있다.

기사 3.

(장재훈, 에듀프레스, 승인 2023.09.05. 02:35)

(http://www.edupress.kr/news/articleView.html?idxno=10829)

결국 점으로 모인 교사들이 이겼다. 이주호 부총리 겸 교육부 장관이 4일 서울 서이초등학교 교사의 49재 추모집회에 참석한 교사들의 징계와 관련 "징계하지 않을 것"이라고 밝혔다. 이 부총리는 또 "법적으로 따져봐야 할 사항은 있겠지만, 크게 봐서는 추모하는 한 마음이고 교권 회복을 하자는 한 마음"이라고 덧붙였다.

교육부는 앞서 교사들이 병가나 연가를 사용해 집단행동을 할 경우 불법으로 간주하고 엄정 대응하겠다고 밝혀 왔다. 하지만 윤석열 대통령이 이날 "현장 교사들이 외친 목소리를 깊이 새겨 교권 확립과 교육 현장 정상화에 만전을 기하라"고 주문하고, 대통령실도 "교육부가 법을 준수할 필요는 있지만 어느 정도 유연성을 발휘할 수 있다"는 입장을 밝혔다.

무리하게 행정적 잣대로만 접근하면서 교사들의 반발을 키운 것에 대한 질책의 의미가 담겼다. 이후 교육부가 징계 철회로 급선회한 것으로 알려졌다.

이 부총리는 이날 서이초 교사 49재 추모제 참석 소감에 대해 "우리 교육계가 한마음 한뜻으로 고인의 뜻을 잘 받들어서 더 이상 그런 안타까운 희생이 나오지 않도록 해야 할 것"이라며 "무너진 교권을 회복하고 공교육을 바로 세우도록 하겠다"고 말했다.

Ⅲ. 공교육 정상화, '나아감'의 골든타임

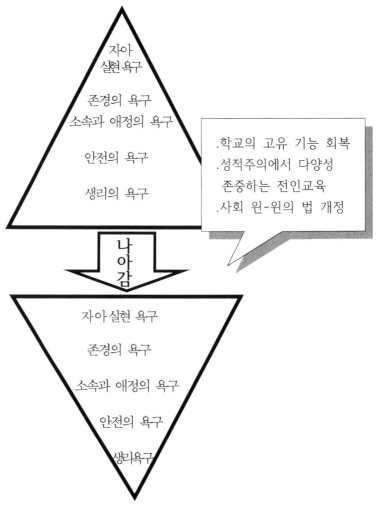

하위욕구 충족의 토대 위에 상위욕구의 볼륨(양(量))이 커지는 사회가 되어야 한다. 즉, '멈춤'이 '나아감'의 골든타임이 되어야 한다.

'법 개정 후 편한 마음으로 아이들을 만나고 싶다'
-굳잡맨-

공교육 정상화 & 공부 문맹 탈출

@ 남극의 추운 바다에 첫 번째로 뛰어드는 펭귄을 퍼스트 펭귄이라 한다. 그 펭귄으로 인해 다른 펭귄들이 줄지어 뛰어 들어간다. 굳잡맨과 함께 시작한 선생님들은 공교육 정상화 & 공부 문맹 탈출의 퍼스트 무버가 아닐까?

@ 개인적인 시간과 노력, 비용 그리고 엄청난 압박을 견뎌낸 퍼스트 무버들의 꿈은 '교사가 교육할 수 있는 환경을 만드는 것'이다. 그 꿈이 함께 한 모든 선생님들의 소박하지만 원대한 꿈인 것을 대한민국은 아는가?

(조광현, 교육언론창, 입력 2023.08.14. 17:09, 수정 2023.08.16. 10:53)
(https://www.educhang.co.kr/news/articleView.html?idxno=351)

▲ 1차 집회 후 본인에게 변화가 있다면?

일개 교사로 활동하고 싶었지만 '1차 집회 제안자'로 알려져 여기저기서 부르고 있다. 현장 교사들의 의견을 수렴해 제대로 전달하는 역할도 하고 4차 집회에서 6개 단체가 공동결의안을 발표하도록 중재했다. 공동요구안을 만들지 못한 것은 아쉽다. 또한 집회 이후 실질적 변화를 위한 다양한 프로젝트가 진행되고 있다. 개인적으로는 집회를 시작한 이후 이전보다 잠을 잘 자고 있다.

▲ 마지막으로 이 집회가 어떻게 마무리되면 좋겠는가?

지금 심정은 좋은 결과가 빨리 나와 하루빨리 편안한 마음으로 학교로 돌아가 아이들을 만나고 싶은 마음뿐이다. 집회 주최하실 분들이 결정하겠지만 9월 국회에서 선생님들이 요구하는 법 개정이 이뤄져 모두가 축하하는 축제를 벌이고 싶다. '우리가 해냈다', '교사가 교육할 수 있는 환경이 만들어진 역사적 순간에 우리가 함께 했다'는 기쁨을 선생님, 학부모, 학생들이 모여 다 같이 즐기고 싶다.

▲ 선진국처럼 교사 대표들이 직접 국회의원이 되어 법을 만들 수

있도록, 교사에게 정치기본권을 보장해야 한다는 주장도 있다. 이에 대해 어떻게 생각하나?

지금 여기에서 개인적인 의견을 얘기하는 것은 중요하지 않다고 생각한다. 집회를 준비하는 분들은 집회 참가자의 대리인이라고 생각한다. 집회를 주최한 개인의 입장을 내세우면 고인을 추모하고 법 개정을 요구하는 집회의 의미가 왜곡될 수 있다. 개인이나 운영진의 의견이 마치 집회 참가자의 의견인 것처럼 비춰진다면 순수한 마음으로 집회에 참가한 분들에게 누가 될 수 있다고 생각한다. (그래서 지금 명확하게 말하는 것은 어렵다.)

- 9차 집회 -
공교육 회복을 위한 국회 입법 촉구
[팻말] 9월 국회 1호 통과

공교육 정상화 & 공부 문맹 탈출

@ 백년지대계의 교육권 & 학습권을 위해 '뭉치면 살고, 흩어지면 죽는다'라는 말이 실감나는 현실을 기뻐해야 하는가, 슬퍼해야 하는가?

@ 늘봄 학교 등의 정책은 학교를 보육 기관으로 만들며 막중한 업무 발생으로 선생님 본연의 업무가 멀어지는 것이 자명한 사실이 아닐까?

@ 업무 과중 & 악성 민원 발생, 그로 인한 자살이 뒤따랐다. 학교의 근본적 존재 이유는 무엇인지 살펴봐야 하지 않을까?

기사 1.

(소중한, 오마이뉴스, 23.09.16 17:24 최종 업데이트 23.09.16 18:29)

(https://www.ohmynews.com/NWS_Web/View/at_pg.aspx?CNTN_CD=A0002962231&CMPT_CD=P0001&utm_campaign=daum_news&utm_source=daum&utm_medium=daumnews)

"여러분, 저는 여러분을 모릅니다. 하지만 이 순간 저는 여러분을 향해 여기서 몸을 던질 수도 있습니다. 여러분, 함께 갑시다. 죽지 말고 같이 갑시다. 살아주세요. 살아서 외쳐주세요. 저는, 그리고 우리는 선생님의 곁에 있겠습니다."

3년 차 초등교사의 무대 위 외침에 국회 앞을 가득 메운 전국의 교사들이 박수와 함성으로 화답했다. 많은 교사들이 "9월 국회 1호 통과"라고 적힌 피켓을 높이 들어 올렸고 몇몇 교사는 흐르는 눈물을 닦아냈다.

전국 교사들이 16일 오후 2시 서울 영등포구 국회의사당 앞에서 '검은 파도는 멈추지 않는다-9.16 공교육 회복을 위한 국회 입법 촉구 집회'를 진행했다. 2시간 동안 진행된 집회에서 교사들은 ▲9월 정기국회 '교권 4법' 1호 통과 ▲아동복지법 개정 ▲교육부의 실효성 있는 대책 마련 등을 요구했다.

이날 집회는 서울 서이초 교사 사망 후 아홉 번째 집회이자 49재 추모 집회(9월 4일) 후 첫 집회이다. 검은 옷을 입고 집회 2시간 전부터 현장을 메우기 시작한 교사들은 먼 지역에서 온 교사들이 현장에 도착할 때마다 해당 지역명을 외치며 박수를 보냈다. 특히 〞제주〞라고 적힌 현수막을 든 교사들이 현장에 도착하자 함성과 박수가 쏟아졌다. 주최 측은 약 3만 명이 이날 집회에 참석했다고 발표했다.

무대엔 〞회복, 연대, 그리고 행동, 검은 파도는 멈추지 않는다〞, 〞죽지 말고 살아가자, 손을 잡고 연대하자〞는 문구가 적혀 있었다. 현장 곳곳에선 〞교사들의 억울한 죽음, 진상을 규명하라〞, 〞재발 방지 대책 촉구한다〞, 〞허울뿐인 교육부 고시, 예산·인력 투입하라〞, 〞생기부가 만능키냐 근본대책 마련하라〞 등이 적힌 현수막도 걸려 있었다.

집회 1시간 전 현장에서 만난 초등교사 A씨는 〞(이주호)교육부 장관은 자꾸 담임수당이니 부장수당이니 그런 걸 대책으로 내놓는데 우리가 돈 때문에 이런다고 생각하는지 궁금하다〞라며 〞우릴 돈 때문에 이러는 사람으로 몰아가지 말라〞라고 꼬집었다.

⋮

이날 집회의 사회를 맡은 교사는 '경과보고 및 우리가 나아갈 길'을 발표하며 〞검은 파도가 국회와 교육부, 교육청을 움직여 교육이 가능한 학교를 만들면 좋겠다〞고 목소리를 높였다.

그는 〞교육부가 정신 차리고, 교권 4법이 오는 21일 (국회 본회의에서) 통과되면 끝일까. 교권 4법은 저희의 첫 발자국〞이라며 〞우리는 지금 논의조차 시작되지 않은 아동복지법, 아동학대처벌법 개정을 향해 달려가야 한다. 아동복지법의 정서학대 조항은 모호하고 추상적인 단어를 통해 (교사들에게까지 적용됐고)

학교현장을 망가뜨려 왔다"라고 말했다.

이어 "대다수 일선 학교엔 벌써 공문이 도착했을 것이다. 교원의 학생생활지도에 관한 (교육부의) 고시 말이다. 보고 웃어야 하는지 울어야 하는지 헷갈렸다"라며 "이제 우리는 교육부 공문을 받고 누가 분리 교실을 담당할지, 누가 학칙을 담당할지, 누가 민원을 받을지 정해야 한다.

:
:

더해 "내년이 총선이다. 우리 집회는 정치적이지 않다"라며 "우리가 정치색을 띄지 않는 이유는 정치를 이용하지 않겠다는 것이 아니라 정치인들에게 속거나 휘둘리지 않겠다는 의지이다. 국회 의원들이 이 점을 똑똑히 기억해 주길 바란다"라고 덧붙였다.

:

기사 2.

(한병찬, 뉴스1, 2023-09-16 16:09 송고,https://www.news1.kr/articles/?5173547)

서이초 사망 교사를 추모하고 교권 회복 관련 법안 마련을 촉구하는 전국 교원들이 다시 거리로 나섰다.

교육현장 일선 교사들의 자발적 모임인 '전국교사일동'은 16일 오후 2시 여의도 국회의사당 앞에서 "공교육 회복을 위한 국회 입법 촉구" 9차 집회를 열었다.

집회에는 집회 측 추산 3만여 명이 참석했다. 집회에 참석한 교사와 시민들은 모두 검은색 옷을 맞춰 입었다. 손에는 '정서

학대 교사 적용 배제', '9월 국회 1호 통과'라고 적힌 피켓을 들었다. 이들은 한목소리로 "죽지 말고 살아가자. 손을 잡고 연대하자"고 구호를 외쳤다.

이날 집회에서 이들은 21일 국회 본회의를 앞두고 교권 보호 4대 법안(초·중등교육법, 유아교육법, 교원지위법, 교육기본법 개정안)의 통과를 촉구하기 위해 2주 만에 다시 집회를 열었다.

:
:

법안이 본회의를 통과할 경우 무분별한 아동 학대 신고와 악성 민원 등을 차단할 수 있는 법적 근거가 마련된다.

기사 3.

윤근혁 조광현, 교육언론창, 입력 2023.09.04. 20:01, 수정 2023.09.05. 11:03
https://www.educhang.co.kr/news/articleView.html?idxno=723

"징계운운 권한남용 이주호는 사과하라"
"법과 원칙 따라, 직권남용 이주호를 처벌하라"

검은색 가면을 쓴 사회자가 이 같은 구호를 외치자, 집회장은 "와~"하는 함성이 울려 퍼졌다. 4일 오후 4시 30분, 서울 여의도 국회의사당 앞 한길에 모인 교사 5만여 명(주최 쪽추산)이 외친 함성이다. 고 서이초 교사 49재 추모집회에서다.

같은 날, 전국 13개 시도에서도 모두 7만여 명이 모인 가운데 추모집회가 열렸다는 게 집회 주최 쪽의 설명이다. 전국에서 총 12만여 명의 교사 등이 모였다는 것이다.

4대 종교 대표들 "선생님을 죽음으로 내몬 것은 교육부"

이날 '공교육 멈춤'에 참여한 교사들은 집회에서 '정당한 임시휴업' 등에 대해 파면, 해임 등으로 겁을 준 이주호 교육부 장관과 교육부를 일제히 규탄했다. 또한 "교권보호 합의안을 지금 당장 처리하라"고 외쳤다.

이날 첫 발언에 나선 것은 4대 종교계 대표들이었다. 이들은 성명서에서 "교육부는 교사들 목소리에 귀 기울이기는커녕, 위법으로 규정하며 징계 운운하고 있다"면서 "우리 종교인은 묻는다. 교사들이 부당한 현실을 호소할 때 교육부는 어디에 있었느냐. 교사를 범죄자 취급하는 교육부는 대체 학생들에게 무엇을 가르치고 싶은 것이냐"고 지적했다.

그러면서 대표들은 "선생님들을 죽음으로 내몬 것은 교육부이며 정부"라고 잘라 말했다. 집회장에서는 "맞습니다"란 목소리가 터져 나왔다.

이날 마이크를 잡은 종교계 인사는 한국기독교교회협의회 박영락 목사, 한국천주교여자수도회장상연합회 조나자레나 수녀, 원불교 시민사회네트워크 서등윤 교무, 대한불교조계종 사회노동위원회 지몽 스님이었다.

이어 서이초 사망교사의 어머니 편지가 낭송됐다. 어머니는 딸에게 보내는 편지에서 "앞으로 진실 찾기에 더 신경 써서 떠나야할 수밖에 없었던 너의 한을 꼭 풀어주고 싶다"면서 "그렇게 하는 것이 추모화환에 보답하는 일이며, 떨어질 대로 떨어진 교권의 진작을 향한 조그마한 희망의 불씨"라고 다짐했다.

그러자 참석 교사들은 "진상규명이 추모다"란 손 팻말을 일제히 들어올렸다. 이어서 "국회는 교권보호 합의안을 지금 당장 의결하라"는 구호가 이어졌다.

이날 교사집회에는 처음으로 여야 의원 15명 가량이 참석했다. 교육부는 이번 공교육 멈춤 집회를 불법으로 규정했지만 국민의힘 의원 3명도 자리를 함께 했다. 교육부 장상윤 차관도 교사집회장 길섶에 서서 행사를 지켜봤다.

참석 교사들은 이날 성명서에서 ▲선생님들의 억울한 죽음, 진상 규명 ▲교권보호 합의안 의결, 국회행동 ▲징계·파면·해임 협박, 교육부 각성을 요구했다.

교사들 "교육부가 교사 입 틀어막아"

특히 성명서에서는 "더 이상 교사들을 겁박하지 마라. 교사들의 살려달라는 절규에 교육부는 징계, 파면, 해임으로 교사들을 위협했다"면서 "교사들이 겪는 고통을 방관해온 것도 모자라 이젠 교사들의 입을 억지로 틀어막으려 하고 있다"고 지적했다. 그러면서 "교육부는 교사와 교장을 향한 징계 협박을 당장 철회하고, 본분에 맞게 교사들을 보호하라"고 요구했다.

아동복지법 개정, 학폭업무 경찰 이관,
늘봄 정책 철회 촉구

[팻말] 아동복지법 전면 개정

공교육 정상화 & 공부 문맹 탈출

@ 늘봄 학교는 진정으로 아이들을 위한 정책인가?
늘봄 학교는 초등학교에서 이루어져야 하는가?
사회적 집단 지성의 과정은 거쳤는가?

@ 아동복지법 개정에 대한 반대의견을 제시하는
이유가 특정 직군에 대해서만 법적용을 배제하는
것은 평등원칙에 위배된다는 주장을 한다고 한다.
그 논리는 정당한가?

기사 1.

조광현, 교육언론창, 입력 2023.10.14. 20:04, 수정 2023.10.14. 20:34
https://www.educhang.co.kr/news/articleView.html?idxno=1094

한여름 아스팔트 위에서 폭염을 견뎌낸 검은 점들이 가을비로 축축해진 도로 위에 다시 모여 '아동복지법 개정'과 대통령이 약속한 '학교폭력 업무의 경찰 이관'에 교육부가 앞장서라고 촉구했다.

지난 7월18일 서이초 교사의 죽음 이후 연인원 60만 명 이상이 참여하는 9차례의 집회를 진행하며 '교권 4법'의 국회 통과를 이끈 '전국교사일동'은 14일 오후 2시 국회 앞에서 제10차 집회인 '공교육 정상화 입법 촉구 집회'를 개최했다.

교사들, "교육부와 국회를 압박하자"

집회는 학교폭력 업무에 시달리는 교사의 현실을 지적하는 것으로 시작됐다.

사회자는 "현재 학교폭력을 다루는 방식에 여러 문제의 소지가 많기 때문에 지난주 대통령께서도 학교폭력 업무 경찰 이관을 거론했을 것"이라며 "그러나 정치권에서는 '학교폭력을 학교에서 다루지 않겠다는 것은 비교육적이다', '일방적으로 경찰에 맡긴다고 될 일이 아니다', '현실을 몰라서 즉흥적으로 하는 말이다'라는 보도가 들려온다"고 지적했다.

이어 "누구보다도 교육현장과 학교폭력 업무를 잘 알고 계시는 선생님들이 학교폭력 업무 전반을 수사기관으로 이관해야 한다는 의견을 내고 있다"며 "책임에 걸맞는 권한을 주지 않으니 교육은 교육기관에서, 폭력은 사법기관에서 처리하자는 이야기가 그렇게 비논리적인 요구입니까"라고 참가자들에게 물었다. 이에 현장에 있던 교사들은 "아니요"라고 큰소리로 화답했다.

전국에서 모인 주최 측 추산 3만여 명의 교사들은 "교권보호 4법이 국회를 통과했지만 본질적인 해결책은 구체화 되지 않았다. 국정감사가 진행 중인 교육부와 정기국회가 끝나지 않은 국회를 압박하자"는 사회자의 발언에 "학폭제도 전면 이관 교육부가 앞장서라", "대통령의 이관 약속 실현 방안 마련하라"를 집회 첫 구호로 외쳤다.

지난 9월 4일 공교육 멈춤의 날을 재량휴업일로 지정했던 서울 천왕초 정용주 교장은 자유 발언에서 "각종 정책으로 교육활동에 부당하게 간섭하는 것은 안전하게 교육할 권리를 침해하는 것이며 모든 것을 현장교사들이 감당하게 만들어 놓은 상황이 안전하지 않은 상황"이라며 "그래서 교육부는 공범이 아니라 주범이라고 생각한다"고 강하게 주장했다.

⋮

아동학대 피소를 당한 특수교사를 변호하고 있는 전현민 변호사는 아동복지법 개정을 반대하는 의견에 대한 반론을 제기했다. 전 변호사는 "교사에 대해서는 아동복지법 제17조 5호 정서적 학대 조항의 적용을 배제해야 한다는 주장에 대해 특정 직군에 대해서만 법적용을 배제하는 것은 평등원칙에 위배된다는 반론이 있다"며 "그러나 이는 교사에게 특권을 부여하자는 것이 아니"라고 주장했다.

그는 "교육현장인 학교에서 교육활동과 관련된 교사와 학생과의 관계에서 발생하는 법률 분쟁에서만 아동복지법 정서적 학대 조항이 배제되어야 한다는 것이므로 특정 직군에 대해서만 법적용을 배제하는 것이 아니"라고 설명했다.

"아이들에게 늘봄은 엄마 아빠를 늘 못 봄"

전남에서 올라온 22년 차 초등교사는 자유발언에서 이주호 교육부장관을 향해 "뜨거운 아스팔트 바닥에서 아홉 차례나 있었던 교사들의 외침이 수당 인상 제안으로 잠잠해질 거라 생각했냐"며 "초·중·고 국어시간마다 글쓴이의 의도를 잘 파악하라고 그렇게 가르쳤는데 장관님, 공부 안했습니까?"라고 말해 참석자들은 크게 웃으며 환호했다.

⋮
⋮

교사는 "수업과 생활지도를 담당할 교사 정원은 대폭 축소하고 돌봄을 담당할 새로운 늘봄전담사를 충당하겠다니 장관님은 교육부장관이 아닌 보육부 장관이냐"고 따지며 "아이들에게 있어서 늘봄은 내 가족인 엄마 아빠를 '늘 못 봄'"이라고 말해 다시 한번 현장교사들의 열렬한 박수를 받았다.

한편, 이날 집회에서 참가자들은 '교육부도 공범이다'라고 적힌 가로 12.5미터 세로 9.8미터짜리 대형 현수막을 집회 첫 줄부터 끝까지 머리 위로 넘기는 퍼포먼스를 펼치며 함께하는 연대감을 형성했다.

'전국교사일동'은 2주 뒤인 오는 10월28일 오후 2시 국회 앞에서 '10.28 50만 교원총궐기 아동복지법 개정 촉구 집회'를 이어가기로 했다.

기사 2.

장재훈, 에듀프레스, 승인 2023.10.14. 17:52,
http://www.edupress.kr/news/articleView.html?idxno=10954

"늘봄이야 말로 정서적 아동학대다. 엄마 아빠를 늘 못본다는 말의 준말이 늘봄이라고 하더라. 이 사실을 교육부만 모르는 것 같은데 교육부장관은 보육부장관인가?"

14일 서울 여의도 국회의사당 앞에서 열린 10차 교사집회, 자유발언에서 나선 전남의 한 교사는 아동학대법 개정과 함께 늘봄학교 확대, 정부의 안이한 교권 인식을 통렬하게 비판, 가장 많은 호응을 받았다.

그는 먼저 "교육부가 발표한 생활지도고시는 수업방해로 분리된 학생을 누가 어떻게 관리할 것인지에 대한 예산과 인력투입 방안이 없어 학교 혼란만 가중시켰다"고 현장 분위기를 전했다.

학교 민원대응팀 구성에 대해서도 "관리자와 행정직, 공무직까지 총동원하다보니 각직렬간 이간질만 초래했고 교사들은 추가적인 업무 부담을 떠안게 됐다"고 비판했다.

그는 또 "교육부가 20년 동안 동결된 월 7만원의 보직수당과 담임수당을 이제야 올려주겠다고 한다"며 "뜨거운 아스팔트 바닥에서 9차례나 있던 교사들의 외침이 수당 인상 제안으로 잠잠해질 것이라고 생각했느냐"고 반문했다.

그러면서 "우리는 수당 인상을 요구하며 공교육 정상화를 외쳐온 것이 아니라 정당한 교육활동이 부당한 처벌을 받지 않도록 해 달라는 것"이라고 쏘아붙였다.

늘봄학교에 대해서는 늘봄이 정서적 아동학대라며 정면으로 비판했다. 그는 "아이들은 가정에서 부모의 사랑을 받으며 정서적 안정감을 키워야 하는 데 어떻게 교육부장관이 아이들을 학교에 가두는 위험한 정책을 추진할수 있느냐"고 했다.

이어 "아이들에게 있어 늘봄은 '엄마 아빠를 늘 못 봄'의 준말이라고 한다. 이러한 사실을 교육부만 모르고 있다"면서 이주호 교육부 장관을 겨냥해 "교육예산은 줄이는 대신 늘봄예산 늘이고 늘봄 전담사 늘이는 교육부장관은 보육부장관이냐"고 힐난했다.

학부모들을 향해서는 제발 현장 교사들의 목소리를 들어 달라고 호소했다. 그는 "매일 반복되는 일부 문제 학생과 그로 인한 일부 악성 민원으로 정말 열심히 공부하고자 하는 자녀가 학습권을 침해당하는 일이 없어야 한다"며 "자녀들이 안전하고 행복하게 교육받을 수 있게 아동학대법 개정안을 11월에 반드시 통과시켜 달라고 함께 소리쳐달라"고 했다.

한편 이날 집회에 참석한 교사들은 손팻말을 들고 "고소 남발 아동복지법, 전면 개정 촉구한다", "인격 살인 악성 민원, 강력하게 처벌하라", "학폭 제도 전면 이관 교육부가 앞장서라" 등의 구호를 외쳤다. 이들은 오는 28일에도 서울 여의도에서 아동복지법 개정을 촉구하는 '교원총궐기'를 열겠다고 예고했다.

아동복지법 17조 5호 개정하라
[팻말] 보건복지위 응답하라, 아동복지법 실질 개정

공교육 정상화 & 공부 문맹 탈출

@ 공교육 멈춤의 날(9.4.)이후에도 3차례의 집회가 개최되었으며 참여 인원수가 증가하는 이유는 무엇인가?

@ 사망교사의 순직 신청자 비율의 15%가 순직 인정받았다. 학교폭력의 사례 적용처럼 순직에 대한 폭넓은 적용은 왜 가능하지 않은가?

@ 학교폭력 사안의 적용 범위가 학교 밖까지, 그리고 하교 이후까지이다. 모든 장소, 모든 시간에 적용된다고 할 수 있다. 교사는 과연 어디까지 책임져야 하는가?

기사 1.

박준이, 아시아경제 원문 기사전송 2023.10.29. 20:28,
https://news.nate.com/view/20231029n16235?mid=n0100"

'서이초 사건' 이후 석 달이 지난 28일 국회 앞 교사 집회에 12만여명의 교사가 모여 한목소리로 아동복지법 개정과 사망 교사에 대한 진상 규명 및 순직 처리 등을 촉구했다. 이들은 "더 이상 억울한 죽음을 바라만 보지 않을 것"이라며 국회를 향해 법 개정을 요구했다.

:

집회에 참여한 교사들은 아동복지법 개정을 촉구했다. 특히 교권 추락 문제의 근본적인 해결을 위해서는 아동복지법 제17조5호의 '정서적 학대' 조항을 개정해야 한다고 요구했다. 주최측으로 참여한 한 교사는 "국회에서 '교권 4법'을 통과시키긴 했지만, 교사들이 학부모로부터 고소, 고발을 당하는 것에 대응책이 되지 못한다"며 "교사들에게 가장 큰 칼날이 돼서 다가오는 건 아동복지법·아동학대처벌법상 '정서적 학대 조항'"이라고 설명했다.

:

또 사망 교사들에 대한 진상 규명과 순직 처리를 요구했다. 주최측은 성명문을 통해 "지난 5년간 극단적 선택을 한 교사는 100명이 넘어가고, 그 인원은 매년 증가하고 있다"라며 "그중 정확하게 원인이 밝혀진 사례는 찾아보기 힘들다. 최근 순직을 인정받은 사례는 순직 신청자 기준 15%, 실제 순직자 기준 2%에 불과하다"고 말했다.

이밖에도 악성 민원으로 인한 피해를 막을 수 있는 체계적인 시스템 구축이 필요하다고 주장했다. 또 학교폭력 사안 조사와 처리를 경찰과 교육부로 이관해야 한다고 덧붙였다. 이들은 "이미 많은 동료를 잃었으나 다시는 꽃이 꺾이지 않도록, 더 이상 억울한 죽음을 바라만 보지 않을 것"이라며 집회에 나온 계기에 대해 설명했다.

⋮

또 다른 초등교사도 "10년 전 일로 최근 고소를 당했다"라며 "공소시효는 7년이었으나 아동이 성년이 될 때까지 공소시효를 유예하고 성년 이후부터 공소시효가 재개된다"고 말했다. 이어 "무려 약 20년 동안 고소의 위험에 노출돼있는 것"이라며 "교사에 대한 아동학대 신고는 면책되거나 학생을 지도한 당해 연도로 제한해야 한다"고 말했다.

⋮

기사 2.

노동자연대 479호.기사입력 2023-10-29 14:49
https://wspaper.org/article/30181

여전히 변화 없는 학교 현장을 규탄하다

10월 28일 국회 앞에서 열린 교사 집회에 수만 명이 모였다. 지난 9월 '교권 보호 4법'이 통과됐지만 학교 현장은 바뀐 것이 거의 없는 상황이어서 이를 개선하려고 모인 것이다.

⋮

한 초등교사는 10년 전 일로 급작스레 아동학대 고소를 당한 일을 소개했다. 10년 전, 20년 전 일까지 학생들의 상담기록, 활동 내역 등을 보관해 교사가 스스로 무혐의를 입증해야 하는 불합리한 상황이라고 그는 설명했다.

$\vdots$

한편, 이날 많은 교사들은 대통령의 약속대로 학교폭력 사안 처리는 경찰과 교육부로 이관하라고 외쳤다. 업무의 과중함과 교사까지 법정 다툼에 휘말리게 되는 위험성을 생각할 때, 교사들이 학교폭력 업무 이관을 주장하는 것이 이해된다. 그러나 사안을 경찰로 이관한다고 해서 해당 사안에 대한 교사의 조사 없이 처리될 수 있을지는 미지수이다. 경찰이 곧장 개입하는 엄벌주의는 교육적 해결을 요원하게 하고 법정 공방을 심화시킬 우려가 있다.

$\vdots$

학령인구 감소를 빌미로 교사가 줄고 학교 규모가 작아지고 있는데 업무는 더더욱 늘어나는 현실을 규탄했다. 교사 정원은 계속 줄이면서, 오히려 돌봄, 방과후 업무, 교육부·교육청 사업들을 밀어 넣는 일이 사라져야 한다고 주장했다. 그러면서 각 학교에 교육과정을 주도적으로 편성할 수 있는 권한을 줘야 한다고 주장해 많은 교사들의 호응을 받았다.

$\vdots$

기사 3.

윤두현, 교육언론창,입력 2023.10.28. 16:40 수정 2023.10.28. 18:15
https://www.educhang.co.kr/news/articleView.html?idxno=1203

12만 교사들 "생활지도, 아동학대 처벌 제외하라"

28일 국회 앞에서 2주만에 11차 집회...아동복지법 17조 5호 개정 촉구

$\vdots$

2주 만에 열린 집회는 국회의사당 앞과 여의도공원 사이 지금까지 가장 많은 12개 구역의 교사 집결지를 확보했으며, 12개

구역은 오전부터 전국에서 찾아온 검은 점들로 꽉 찼다. 교사들은 서이초 교사의 진상 규명과 무분별한 학부모 민원을 막기 위한 아동복지법 개정을 촉구했다.

:

아동복지법 제17조 5호의 정서적 학대 조항에 대한 초등교사 노조의 헌법소원 법률대리인 박상수 변호사는 "훈육행위나 생활지도행위는 처벌 대상에서 제외되어야 한다"고 주장했다. 아동복지법 제17조 5호는 지난 2011년 아동복지법 개정 때 신설된 조항으로 당시에도 '아동의 정신건강 및 발달에 해를 끼치는'이라는 법 문구의 모호성 때문에 명확성 원칙을 위반하고, 실효성 있는 처벌이 어렵다는 지적을 받아 왔다. 초등교사노조는 지난 8월 헌법소원을 제기했으나, 헌법재판소는 9월 이를 각하처리했다.

그는 "정서적 학대 조항을 폐지한다해도 형법상 목적범과 유사한 경향범 취급을 받는 학대죄가 남아 있기에 사실 처벌의 공백이 크지도 않다"며 "정서적 학대조항이 개정되거나 폐지되어도 아동에 대한 신체적 학대를 비롯한 다양하고 구체적인 학대행위에 대한 처벌 조항은 여전히 남아 있고 이를 통해 대부분의 아동학대는 방지될 수 있다"며 법 개정의 타당성을 밝혔다.

:

교사들은 이날 성명서를 통해 ▲아동복지법 즉각 개정 ▲교사의 죽음에 대한 진상을 철저히 조사하고 진실 규명 ▲악성민원으로 인한 피해를 막을 수 있도록 실효성을 갖춘 표준화된 민원 처리 시스템 구축 ▲학교폭력 사안 조사와 처리를 경찰과 교육부로 이관 등을 요구했다.

나도 하나의 점
&
거대한 파도

- '공교육 멈춤의 날', 맥락적 이해의 장(障)-

204,015개의 검은 점, 나도 하나의 점입니다

0902
나도 하나의 점입니다.

삼가 고인의 명복을 빕니다.

하나의 점 찍기.

204015개의 검은 점

국회의사당역 기준 반경 1km에서만 체크됩니다.
기기의 위치정보를 허용해주세요.
기기당 1회만 체크해주세요.
중복방지를 위해 기기ID를 생성하여 수집합니다.
개인정보는 포함되지 않습니다.

(신중섭, 서울경제, 입력 2023. 9. 2. 17:13수정 2023. 9. 2. 19:22
https://v.daum.net/v/20230902171344028,)

'9.4. 공교육 멈춤의 날'을 이틀 앞두고 2023.9.2. 토요일, 가을의 뜨거운 태양 아래 하나하나의 점으로 대한민국 국회의사당 앞에 20만 4,015명이 모였다. 지방에서 수십 대의 대형버스를 대절하는 등 전국의 50만 명의 선생님 중에 20만이 넘게 참석했다.

홍해 바다가 갈라졌을 때 기적이라고 불렀다. 6.25 전쟁의 상흔을 극복하고 일으킨 대한민국을 보고 한강의 기적이라고 부른다.

공부 문맹으로 인한 위기의 학교, 무너지는 교육을 살리기 위해 교실의 선생님들이 수업 일에 교실을 멈추고 한목소리를 냈다. 반만년 대한민국 역사 속에 유례없는 일이다. 동학 농민 운동, 3.1 운동과 같은 혁명이다.

'자발적 주최'라는 용어가 탄생했다.
어떤 정치적인 구호 없이 오롯이 공교육 정상화만 외쳤다.
특정 집단의 이기주의를 밀어냈다.
질서 유지를 위해 배치된 경찰들이 역시 선생님들이라고 했다.
학부모님들이 지지를 보내며 선생님들을 격려했다.
정치인들이 교사가 아닌 '교사님'이라는 호칭으로 변했다.

수만, 수십만이 모였던 집회는 존중과 배려로 질서정연했고 떠난 자리는 흔적이 없다. 국격 높은 성숙 된 집회의 최고봉을 보여주며 시대의 변혁을 불러일으킨 혁명이다. 공교육 멈춤의 날에 직접 참여한 교원·학교를 지킨 교원, 모두가 한마음이었다.

선생님이 공부 문맹 탈출과 대한민국을 선도(先導)해야 할 때이다.

"본 장(障)에서는 직접적인 집회 관련 기사보다는 집회에 대한 '맥락적 기사'를 담고자 했다."

♣ 불행은 불행을, 행복은 행복을 낳는다

Ⅰ. 점, 점, 흩어진 점, 힘없는 점
선생님의 멈춤이 우리에게 가르쳐주는 것들
임계점에 다다른 분노
교육부 파면·해임·감사 엄중 경고

Ⅱ. 뭉친 점, 파도, 거대한 파도
교육부 장관 "교사 징계 안 한다."
공멈춤의 날 집회 참가기
여론조사기관들이 발표한 전국지표조사 결과

Ⅲ. 파도, 파도 그리고 밝은 태양
여론조사기관들이 발표한 전국지표조사 결과
'교권 침해 인정' 대법 판결에 "교권 보호 큰 진전"

불행은 불행을, 행복은 행복을 낳는다

한국문화 중 풍수지리의 <형국론>에 나오는 이야기다.

오수부동(五獸不動)의 다섯 짐승(오수(五獸))은 같은 울타리 안에 살면서, 코끼리는 쥐가 코에 들어가면 죽기에 쥐를 무서워하고, 쥐는 고양이, 고양이는 개를, 개는 호랑이, 호랑이는 자기 덩치보다 훨씬 큰 코끼리를 무서워한다. 서로 무서워하기에 모순적이지만 다섯 짐승이 모여 있으면 안정적인 관계를 이루며 공존할 수 있다. 반면에 견제하는 상대가 서로 겹쳐 어느 하나가 문제가 생기면 전체 균형이 무너지게 된다.

우리 삶도 마찬가지다. 다양한 사람들이 공존하며 사는 게 사회라는 공동체다. 몽테스키외의 입법부, 사법부, 행정부의 '3권분립'도 오수부동과 같은 원리다. 너무 가까이 다가가도, 너무 멀어져도 안 되는 불가근불가원(不可近不可遠)의 관계다.

선생님이 행복해야 학생이 행복하고, 학생이 행복해야 부모가 행복하다. 또한 학생이 행복해야 부모가 행복하고, 부모가 행복해야 선생님이 행복하다. 마찬가지로 부모가 행복해야 선생님이 행복하고, 선생님이 행복해야 학생도 행복하다.

선생님, 학생, 부모 중 한 구성원이라도 불행하면 불행이, 행복하면 행복이 따라온다. 대한민국은 언제나 '행복'을 선택할 수 있다.

"그래서 선생님들은 '공교육 멈춤의 날'을 결심했다."

Ⅰ. 점, 점, 흩어진 점, 힘없는 점

"흩어진 물고기는 힘이 없다. 갈라치기 당한 물고기는 힘이 없다."
"공부 문맹 사회는 힘이 없다."

(감기 걸린 물고기, 박정섭 https://brunch.co.kr/@sugarin/58)

선생님의 멈춤이 우리에게 가르쳐주는 것들
-'교사 집단 절박한 상황' 이해해야-

지난 7월 18일, 아이들을 사랑했던 젊은 교사가 세상을 떠났다. 동료들은 거리로 나왔다. 한여름 뜨거운 아스팔트 위에서 선생님들이 외친 것은 교육자이자 노동자로서 수업과 학생지도에 집중할 수 있는 최소한의 교육여건과 대책을 마련해 달라는 것이었다. 그러나 서이초 교사의 49재가 다가올 때까지 사망원인조차 분명하게 밝혀진 것이 없다. 정부는 선생님들의 요구에 대해서도 이렇다 할 대책을 내놓지 못하고 있다.

49재에 맞춰 다시 함께 모이기로 했다. 누구보다 학교현장을 지키고 싶었을 선생님들이 수업을 잠시 멈추고 다시 한번 거리에 선다는 것은 동료 교사에 대한 깊은 슬픔과 비통함, 교육 현장의 변화가 없으면 나 또한 또 다른 희생자가 될 수 있다는 공포, 공교육을 되돌릴 마지막 기회일 수 있다는 절박함 때문이었을 것이다.

49재 추모 집회가 예고되자, 교육부와 일부 교육청은 불법, 파면, 해임, 단체행동과 같은 자극적인 언어와 법적 근거도 없는 징계 협박으로 집회를 무력화했다. 현행법상 교사들은 노동3권 중 단체행동권을 보장받지 못한다. 교사도 엄연히 노동자인데, 헌법과 국제인권법이 보장하는 노동자의 권리를 교사라는 이유만으로 원천 금지당하고 있다. 선생님들은 자발적으로 연가, 병가 또는 재량휴업일 지정 등 합법적인 방법으로 단체행동에 나섰음에도 교육부는 학습권 침해를 이유로 들었고, '예비살인자' 발언으로 선생님들께 씻을 수 없는 상처를 남긴 윤건영 충북 교육감은 엄정 대응하겠다는 내용의 공문을 보내기도 했다.

　무엇이 교육인가.

　아이들은 세상을 통해 많은 것을 배운다. 한 교사의 죽음이 있은 후에야 비로소 우리 사회가 학교 현장을 들여다보고 이야기하기 시작했다. 교실 밖 선생님들의 모습에서 아이들은 대한민국의 사회의 문제를 배우고 생각하게 된다. 한 개인의 이야기가 아니라 우리 모두의 문제임을 느끼고 왜 이런 일이 일어나게 됐는지, 어떻게 해결할 수 있을지를 고민하고 이야기 나누어야 한다. 인간으로서 슬픔을 함께하고 위로하는 방법을 배워야 한다. 선생님들의 하루 멈춤을 통해 학생으로서 자신을 성찰하고, 인권과 노동권에 대해 사유해야 한다.

　'공교육 멈춤의 날'이 누군가에게는 불편함으로 다가올 수 있음을 잘 알고 있다. 그러나 거리에서 다시 한번 울려 퍼질 선생님들의 절규 속에는 우리가 해야 할 많은 일들이 담겨있다. 이날을 계기로 우리 사회와 우리 교육이 한 단계 더 성숙해지길 희망한다.

　정부는 정치기본권조차 보장되지 않아 정치적 천민에 가까운 교사 집단이 공교육을 하루 멈춰서라도 목소리를 내려는 절박한 상황을 이해하고 현장의 요구가 반영된 대책을 수립해야 한다. 교사들의 자발적 대규모 집회를 축소하는데 급급해 손발을 묶고,

갈등과 혼란을 야기할 것이 아니라, 더 이상 선생님들이 절망과 무력감을 겪지 않도록 그들의 아픔에 공감하고 함께 비를 맞아야 한다.

교권의 붕괴는 교육의 붕괴를 의미한다. 교실 붕괴에 대한 근본적인 대책을 수립해 위기에 빠진 교육 현장을 살려내야 한다. 서이초 사건을 통해 우리가 마주한 교육 참상의 원인을 찾아내고 교권 보호를 위한 입법도 조속히 마련해야 한다. 이날을 계기로 교사들이 가르칠 권리와 아이들이 제대로 배울 권리를 모두 보장받고, 교육공동체가 신뢰를 회복해야 한다. 우리 아이들을 사랑하는 선생님들의 슬픔을 함께하며, 용기 있는 행동을 응원한다.

(김시진(충북교육발전소 정책위원장), 교육언론창, 입력 2023.09.01. 16:33, https://www.educhang.co.kr/news/articleView.html?idxno=672)

임계점에 다다른 분노

-'지금여기'님의 교육일기-

학교운영위원회가 열렸다. 우리 학교는 서이초 교사 49재를 추념하기 위해 9월 4일을 재량휴업일로 정하는 안건을 상정했다.

"학교운영위원으로서 우리는 교장선생님과 선생님들을 지켜드리는 방법을 선택할 수밖에 없습니다"

(학교운영위원회)안건을 상정한 뒤 (언론에)교육부의 강력한 징계조치가 있을 것임을 대내외에 시사했다. 이런 교육부의 전략은 제대로 먹혔다. '파면', '해임' 등의 용어를 전면에 내세운 교육부의 전략은 교사들 사이를 분열시켰고, 교사와 관리자들을 분열시켰으며 학부모들의 분노 또한 불러왔다.

교사로서, 교감 교장으로서 교육부를 향한 분노가 정점에 달했다. 그들이 학교와 교사들을 대하는 태도가 30년 전과 전혀 다르지 않음을 통감했다. 교육부는 교육부이고 관료는 관료에 불과한 것이었음을 새삼 깨닫는 시간이다.

운영위원회에서 안건 설명을 통해 학교와 교사들의 입장을 이야기했다. 내심 교육부와 맞서고 싶은 마음이 들어서 가결되기를 희망했으나, 결론은 '부결'이었다. 학부모위원들은 교장선생님과 교사들이 다치는 것을 원하지 않았다. 재량휴업보다 더 효과적이고 지속적인 방안을 제안했다. 학교장은 이를 받아들일 것인가에 대한 고민이 크다. 휴업을 철회하자니 교육부의 간계에 걸려드는 것

같아 속상하다. 교사들과의 신뢰가 무너질 수 있음도 가슴 아프다.

결국 부결된 심의안을 수용하기로 했다. 지속적인 학부모 캠페인을 추진하고, 학생자치회와 연계한 학부모 선언문을 작성하고 홍보한다는 내용이다. 교원으로서 학부모와 운영위원회의 공감과 협력은 큰 힘이다. 즉시 학교운영위원회와 학부모회 공동으로 가정통신문을 작성했다. 서이초 교사의 49재와 관련하여 기구별 추모 활동을 한다는 내용이다.

학부모들의 이런 노력과 성원에도 불구하고 교원들은 답답하다. 정치기본권이 제한되어 있는 현실에서 교원들의 목소리를 대변하는 정치인 또한 거의 없다. '정치 분야의 금치산자' 교사라는 이유로 정치적 기본권조차 제한받아야만 하는 현실, 교원들의 정치참여가 두려운 것인가? 50만 명이 넘는 전국의 교원들이 하나로 뭉칠 수 있는 날은 언제가 될까?

담금질이 더해질수록 쇠는 더 단단해진다. 교원들을 향한 담금질이 한계에 다다르고 있다. 잠깐의 위기를 모면하기 위한 수가 얕은 정책과 갈라치기 전략은 보기 좋게 먹히는 듯 보인다. 그러나 이런 꼼수는 필연적으로 부작용을 동반한다. '파면'과 '해임'을 전면에 내세운 교육부의 협박에 가까운 조치는 온건한 대응을 주장하던 교사들마저 강성으로 돌아서게 하고 있다는 것을 교육부는 알고 있을까?

점점 임계점에 다다르고 있다.

('지금여기' 초등교원, 교육언론창, 입력 2023.09.03. 16:56, 수정 2023.09.07. 15:20,https://www.educhang.co.kr/news/articleView.html?idxno=692)

교육부 파면·해임·감사 엄중 경고
-9월 4일 교사 연가, 불법·정치적 오해 받을 수 있어-

이주호 부총리 겸 교육부 장관이 9월 4일 '공교육 멈춤의 날' 관련 움직임에 강한 우려를 표했다. 교사들의 집단 연가 사용은 학생들의 학습권 침해로 또 다른 갈등이 생길 수 있다고 말했다. 교육부는 9월 4일 집단행동을 불법 행위로 규정하고 엄정 대응하겠다고 밝혔다.

⋮

이주호 "정치적으로 오해 받을 수 있어"

이 부총리는 27일 오전 KBS 일요진단 라이브에 출연해 "(재량휴업이나 연가 사용은)불법이 되거나 학습권과 충돌하면서 교육계에서 또 갈등이 촉발될 수 있다"고 말했다. 이어 "분쟁적이고 갈등이 유발될 수 있다. 정치적으로 오해 받을 수 있는 부분"이라며 "안 하셨으면 좋겠다고 권유하고 있다"고 말했다.

이 부총리는 또 "교사의 가장 중요한 일은 아이들을 가르치는 것이다. 학습권을 침해하는 방식보다는 고인을 추모하고 교권 회복 요청의 목소리를 높일 다양한 방식이 있다"고 강조했다. 이어 "연차를 내거나 휴교를 결정한 곳이 많지 않다고 생각한다"고 덧붙였다.

이 부총리는 이날 배포된 보도자료를 통해서도 비판을 이어 갔다. 그는 "전국의 모든 선생님들은 일부 불법적이고 조직적인 집단행동 선동에 현혹되지 말고 현장을 지켜달라"며 "정상적인 교육활동을 위한 선생님들의 외침에 공감하고 있으며, 현장에서 느끼는 어려움을 해소하기 위해 앞으로도 최선을 다할 예정"이라고 말했다.

교육부 "교육장 파면·해임, 교육청 감사 가능"

교육부는 9.4 공교육 멈춤의 날과 관련해 보도자료를 배포하고 교사 개인뿐 아니라 학교장, 각 시도교육청에 대한 '경고' 메시지를 보냈다. 교사의 연가·병가와 학교의 임시휴업은 법에 규정된 상황에서만 사용될 수 있으며, 9.4 공교육 멈춤의 날과 관련해 사용되는 것은 '우회 파업'으로 법 위반이라는 입장이다. 집회 참석, 연가·병가 사용 및 승인, 학교 임시휴업 등 행위를 한 경우 학교장과 교사 모두 국가공무원법 등에 따른 최대 파면·해임 징계와 직권남용 형사 고발이 가능하다고 경고했다.

교육부는 우선 교사 개인의 연가, 병가 사용은 불가하다고 밝혔다. 집회에 참여하지 않고 연가·병가만 사용하는 것도 사실상 파업으로 볼 방침이다. 국가공무원 복무규정 제24조의2, 교원 휴가에 관한 예규 제4조 및 제5조를 근거로 들었다. 연가 사용은 직계가족 경조사 등 특별한 상가 없는 한 수업을 제외하여 사용해야 한다는 규정이다. 병가 또한 질병, 부상 등으로 직무 수행이 불가능할 경우 사용해야 한다. 교육부는 지난 2014년 전국교직원노동조합이 법외 노조 철회를 요구하며 집단조퇴 투쟁을 했다가 집단행동 금지 등으로 징계를 받은 바 있다고 덧붙였다.

학교장 차원에서 추진하는 '임시휴업' 또한 적법한 절차를 어기는 것이라 봤다. 교육부는 "초중등교육법 시행령 제47조에 따라 학교 임시휴업은 매 학년도가 시작되기 이전 학교운영위원회의 심의를 거쳐야 한다"고 했다. 이어 "교사 집단행동을 위해 학교가 9월 4일을 임시휴업일로 정하거나 교장이 교사의 연가·병가를 승인하는 행위 역시 위법"이라고 강조했다.

9.4 공교육 멈춤의 날을 묵인하는 시도교육청에 대한 엄벌 방침도 밝혔다. 각 시도교육청이 교육부의 징계 요구에 불응할 경우 교육청에 대한 '감사'도 불사하겠다는 입장이다. 교육부는 "교원 징계는 국가위임사무로 교육부가 직무이행 명령을 내릴 수 있으며 불응한 교육청에 대한 감사도 가능하다"며 "교원 징계 요구를 거부할 경우 직무유기죄로 교육감에 대한 고발 가능하다"고 했다.

(박지영, 헤럴드경제, 2023.08.27 15:51
http://news.heraldcorp.com/view.php?ud=20230827000116)

Ⅱ. 뭉친 점, 파도, 거대한 파도

"공부 문맹 탈출~~!!"
"뭉치면 살고, 흩어지면 죽는다"

(키득키득 그림영어사전, 142쪽
https://m.blog.naver.com/englishshim/220264154847)

이주호 부총리 "교사 징계 안 한다."
-입장 선회 배경은?-

[앵커]
교육부가 어제 공교육을 멈추고 거리로 나선 교사들을 징계하지 않겠다고 밝혔습니다.
교육부의 입장이 급선회한 가운데 교권 보호 입법도 속도를 낼 전망입니다. 취재기자 연결합니다. 김현아 기자!

이주호 부총리가 공교육 멈춤에 동참하는 교사를 징계하겠다고 굉장히 강한 발언을 내놓았었는데 입장을 완전히 바꿨군요.
상황 자세히 전해주시죠.

[기자]
네, 이주호 부총리가 어젯밤 국회 예결위에서 자신의 징계 발언을 사실상 철회했습니다.
어제 추모에 참석한 교사들에 대한 징계 여부에 대해 징계는 없을 거다, 이렇게 얘기한 건데요. 장시간 이어진 예결위 과정에서, 집회와 징계에 대한 이 부총리의 답변도 조금씩 바뀌었습니다. 직접 들어보시겠습니다.

[이주호 / 사회부총리 겸 교육부 장관(오후 5시 30분경) : 수업 시간 중에 하는 교사들의 집단행동은 그거는 불법의 소지가 있다는….]
[김병옥 / 더불어민주당 의원 : 오늘 추모제에 참석한 교사들에 대해서 처벌하실 겁니까?]
[이주호 / 사회부총리 겸 교육부 장관 : 네, 그 부분은 오늘

상황을 또 점검을 해야하고요. 말씀 주신대로 이제 차분하게 좀 분석을 해야 하는 거니까, 그렇지만 의원님께서 말씀하신 교육계가 한마음 한뜻으로 중지를 모아가고 있는 그런 부분에서 교육부도 크게 공감하고 있고…]

[이주호 / 사회부총리 겸 교육부 장관(밤 9시 50분경) : 이번에 선생님들이 질서정연하고 법을 지키면서 그렇게 한마음 한뜻으로 고인을 추모하고 공교육 회복, 특히 교권 회복에 대해서 목소리를 내주신 거에 대해서 감사드리고요. 학교 현장의 신속한 안정화를 위해서 오늘 추모에 참석한 교사들에 대해서는 최대한 선처하는 방향도 검토하도록 하겠습니다.]

[이주호 / 사회부총리 겸 교육부 장관(밤 10시 30분경) : 추모에 참여한 교사들에 대해서는 최대한 선처할 것이고요, 걱정하시는 징계는 없을 것이다, 이렇게 말씀드리겠습니다.]

[앵커]
발언을 들어보니 그래도 오후에는 징계 발언을 완전히 철회했던 건 아닌데, 밤늦게 입장이 완전히 바뀐 거로 보이네요.
그럼 이제 교육부도 징계로 갈등을 확대하기 보다 교권 회복에 집중하겠다, 이렇게 방향을 잡은 겁니까?

[기자]
그렇게 봐야 하겠습니다.
사실 서이초 교사 49재에 맞춰 진행된 '공교육 멈춤'에 예상보다 많은 교사가 동참하면서 징계 절차가 개시되는 순간 심각한 혼란이 벌어질 거란 우려가 컸습니다.
하지만 교육부가 입장을 선회하면서 큰 고비를 넘은 셈인데요.
일단 징계를 하기엔 규모가 너무 크기도 했고, 집회 자체도 대규모 인원이 모였음에도 매우 질서정연하게 진행된 점, 집회의 목적이 교권 보호와 공교육 회복에 분명히 맞춰진 점이 부각되면서 교육부와 청와대, 여당 모두 강경 대응 기조를 버리게 된 것으로 보입니다.

교권 보호를 위한 입법도 속도가 붙을 전망입니다.

교사들은 어제 집회에서도 교권 보호를 위한 아동학대법 개정과 무차별적인 직위해제 방지법 등을 조속히 처리해달라고 강하게 요청했는데요,
당장 7일 예정된 법안소위에서 정당한 사유 없는 직위해제를 막을 법안이 논의되고, 9월 안에는 교권 보호를 위한 관련 입법들을 반드시 매듭짓겠다는 발언도 나왔습니다.

4일 집회를 둘러싼 갈등이 고비를 넘긴 만큼, 교사들도 일단 시간을 갖고 상황을 지켜볼 가능성이 커졌습니다.
다만, 확실하게 입법이 될 때까진 주말 집회를 다시 이어가자는 논의도 진행되고 있습니다.

지금까지 사회정책부에서 YTN 김현아입니다.
(김현아, YTN, 2023.09.05.11:49,https://www.ytn.co.kr/_ln/0103_202309051149357754)

공멈춤의 날 집회 참가기
-프로크루테스의 침대-

"프로크루테스는 그리스 신화에 나오는 인물로, 직업은 강도다. 지나가는 행인을 붙잡아 자신의 침대에 누이고는 그의 키가 침대보다 크면 그만큼 잘라내고, 작으면 억지로 침대 길이에 맞추어 늘려서 죽이는 무서운 인물이다."

어제 추모집회에서 바라본 도교육청의 모습을 어떻게 묘사하면 좋을까, 여러 가지 생각을 떠올리다가 그를 떠올리게 됐다.

·
·
·

6시 30분. 끝나는 시각까지 빨간 노을은 서울 집회 때보다 더 뜨거웠다. 2시간 넘게 자리를 지킨 참석자들은 부채질을 하면서도 무대 위의 다른 동료들의 고통스러운 이야기를 경청했다.

서울에서는 학부모에 대한 이야기가 많았다면, 여기서는 교육청과 관리자들에 대한 말들이 많았다. 교육청 바로 앞에서 교육청의 잘못을, 교장·교감 앞에서 관리자들의 무책임함을 밝혔다. 서울 집회에서는 큰 탄식 소리를 간간히 들을 수 있었는데, 여기서는 들을 수 없었다. 서로 다 아는 처지라서 그랬을까, 눈물 콧물은 삼켰지만, 그들을 향한 탄식은 목구멍을 넘기지 못했다.

순서에 따라 교육감은 행사가 끝날 무렵 무대 위로 올라왔다. 무대에 올라온 교육감은 '사랑하는 선생님들'로 말을 시작했다. 끝까지 함께 하겠다는 말에 이어 시 한 편을 인용했다. 시인에게 누가 될 것 같아 제목은 비밀에 부친다.

너무 이상했다. 여러 교사들이 학교 안팎에서 죽었고, 아직 살아 있는 교사들이 눈물을 쏟아내며 환부를 드러냈는데, 교육감은 시를 낭송했다. 뿐만아니라 목걸이에 공무원증을 달고 있는 스무 명쯤 되는 사람들. 말끔한 정장차림의 교육청 직원들. 행사가 시작할 무렵부터 빈자리가 아무리 많아도 앉지 않고, 그늘을 찾아 서서 멀찌감치 떨어져서 구경하고 있는 그들. 어떻게 저런 태도를 가진 사람들이 교육청에 근무할 수 있는 것인지 질문해봤다.

⋮

누구나 자기 침대(철학과 관점, 성향)를 갖고 있다. 그 다양성은 인정해야 하는 중요한 것이다. 교육감도, 교육청 직원들도, 교사들도, 학부모도, 여러 단체들도 각자의 가치관이 있다. 중요한 것은 그 침대가 사람을 살리느냐, 죽이느냐 하는 점이다.

누구도 프로크루테스가 되지 않길 바란다. 조금만 변호하자면, 프로크루테스에겐 그것이 어쩔 수 없는 삶의 방식이었을 것이다. 그래서 그를 막을 수 있는 선량하고 용감한 시민들이 밤새워 거리를 지켜야 한다.

그나저나 다른 지역은 노조와 단체가 함께한다는 카드 뉴스를 보았는데, 우리 지역은 왜 없었을까. 내가 모르는 또다른 사정이 있는 걸까? 답답하고 아쉽다.

'4일 전남 무안 도교육청 앞에서 열린 '고 서이초 교사 49재 추모집회'

(김진혁, 교육언론창, 입력 2023.09.05. 13:36, 수정 2023.09.05. 14:57, https://www.educhang.co.kr/news/articleView.html?idxno=738)

공교육 멈춤…"서울 초등교사 60% 이상 참여"
-교육청이 교육부에 보고한 현황은 의미 없어-

　교육정상화를 요구하는 교사들이 서울서이초 교사의 49재를 맞아 지정한 '공교육 멈춤의 날'인 4일 서울시 전체 초등학교에서 출근하지 않은 교사의 수가 몇 명인지 정확한 수치가 집계되지 않고 있는 것으로 확인됐다.

　하지만 일부 교육지원청이 비공식 집계한 결과 병가 등으로 이날 '공교육 멈춤'에 동참한 초등교사가 전체 인원의 60%를 상회하는 것으로 나타났다.

　한 교육지원청 관계자는 교육언론[창]에 "우리 지역 50개교 중반의 초등학교 가운데 이날 출근하지 않은 교사는 60% 이상으로 집계됐다"면서 "이들 초교 중 80% 이상의 교사가 공교육 멈춤에 참여한 학교는 10개교 이상이고, 70% 이상 미출근 학교는 20개교 이상"이라고 설명했다.

　서울시교육청 내부 사정에 밝은 한 교육계 관계자는 이날 교육언론[창]과 전화 통화에서 "교육부에서 미출근 교사의 인원을 보고하라고 교육청에 재촉했지만 교육청은 각 초등학교에 통계 보고 등 행정 업무가 중요한 게 아니라 오늘 하루는 학교 안정화가 우선이라고 전했다는 이야기를 들었다"고 밝혔다.

　그는 "정확한 통계는 교사들의 연·병가 신청 사유가 확인된 이후 교장이 결재하기 때문에 오늘 정확한 집계는 어려울 것"이라고 말했다.

이어 "학교 현장의 이야기를 종합해 보면 각 학교마다 절반 이상의 선생님들이 출근하지 않은 학교가 다수"라고 전했다. 이로써 서울교육청이 교육부에 보고한 수백 명대의 연가, 병가 현황은 허수라는 것이다.

그러면서 "서울시교육청에서 근무하는 교사 출신 장학사와 직원들은 각 학교로 나가 수업을 진행하거나 학생 안전지도, 생활지도, 급식지도 등 교사들의 빈공간을 채우기 위해 안간힘을 쓰고 있는 것으로 알고 있다"고 말했다.

한편, 올 3월 기준 서울시에는 609개 초등학교에서 교원 2만 8335명이 근무하고 있다.

(조광현·윤근혁, 교육언론창, 입력 2023.09.04. 15:26 수정 2023.09.05. 16:40 https://www.educhang.co.kr/news/articleView.html?idxno=707)

Ⅲ. 파도, 파도 그리고 밝은 태양

'진심의 점 하나, 50만 선생님 중 하나'
'선생님들의 진심의 점 50만, 5,000만 국민 중 1%'

"점 하나가 대한민국을 웃음 짓게 만들 수 있습니다."
"1%의 마음이 100%의 마음과 함께 할이 될 수 있습니다."

'교권 침해 인정' 대법 판결에 "교권 보호 큰 진전"

교사노조 "실효적인 교권보호 이뤄야"...한국교총 "담임교체 요구는 학습권 침해"

14일, '청소를 시킨 담임교사를 교체해달라'고 요구한 학부모에 대해 교권침해 행위라는 대법원의 판결에 대해 교원단체들은 이날 "교권보호의 큰 진전"이라며 환영했다.

전국교사노조연맹(이하 교사노조)은 입장문을 통해 "그동안 공교육을 소비재로 인식한 보호자의 과도한 교권침해가 심각한 교육활동 붕괴의 한 축이 되어 왔다"며 "이번 대법원의 판결에 따라 학부모의 민원에 의해 학교현장에서 발생하고 있는 담임교체 문제를 바로 잡아야 할 것"이라고 밝혔다.

"실효적인 교권보호 위해 적극적인 예산 편성 요구"

교사노조는 교권보호를 위해 조속한 법 개정을 촉구한 뒤 "실효적인 교권보호가 이루어지기 위해 민원대응과 교권보호 시스템 마련을 위한 정부의 적극적인 예산편성과 정책 시행이 요구된다"며 예산과 인력 충원을 촉구했다.

한국교원단체총연합회(이래 한국교총)도 "학부모의 무분별한 악성 민원, 부당 요구에 경종을 울리고 이같은 행위가 명백히 교권침해에 해당함을 밝힌 판결"이라고 환영했다.

한국교총은 또 "그간 교원들은 정당한 교육활동, 생활지도 임에도 툭하면 제기하는 학부모들의 사과 및 담임 교체 요구에 우울증을 호소하고 병가를 내는 등 고통을 겪어 왔다"며 "무분별한 담임 교체 요구로 아이들은 하루아침에 선생님을 잃을 수 있다. 교권 침해를 넘어 많은 학생들의 학습권을 침해하는 행위임을 분명히 인식하는 계기가 돼야 한다"고 밝혔다.

"법원, 앞으로 학교의 특수성 반영해서 법 적용 해야"

전국교직원노조 박성욱 정책실장도 "교사의 교육활동에 대한 재량권을 폭넓게 인정한 것으로 그동안 학부모의 부당한 간섭들이 교사들을 위축시키고 힘들게 했는데, 앞으로는 교사들이 좀 더 안정적으로 학교 교육을 할 수 있는 계기가 됐다"고 밝혔다.

실천교육교사모임 현승호 공동대표는 "교권 보호를 위한 절박한 교사들의 심정을 반영해 준 대법원의 판결"이라며 "그동안 법 취지와 달리 아동학대처벌법 등이 오용되어 왔다. 법원이 앞으로 학교의 교육적 특수성을 반영해서 법 적용을 했으면 좋겠다"고 말했다.

전북의 한 초등학교 2학년 담임교사는 2021년 4월 수업 중 장난을 친 학생에게 청소를 시켰으며, 학부모는 담임교체를 요구하며 소송을 제기했다. 대법원은 "부모 등 보호자는 자녀나 아동의 교육에 관해 의견을 제시할 수 있지만, 교원의 전문성과 교권을 존중하는 방식으로 이뤄져야 하지, 교원의 정당한 교육 활동에 대해 반복적으로 부당하게 간섭하는 행위는 허용되지 않는다"고 판결했다.

(윤두현, 교육언론창, 입력 2023.09.14. 17:09
https://www.educhang.co.kr/news/articleView.html?idxno=831)

여론조사기관들이 발표한 전국지표조사 결과
-국민 77%, '9.4 공교육 멈춤의 날' 교사 집회 "긍정"-

"지난 9월4일 서울서이초 교사의 49재를 맞아 진행된 '공교육 멈춤의 날' 전국 교사집회에 대해 국민 대다수가 긍정적으로 인식하는 것으로 조사됐다."

14일 엠브레인퍼블릭·케이스탯리서치·코리아리서치·한국리서치가 지난 11일부터 13일까지 3일 동안 만18세 이상 1002명을 대상으로 진행한 전국지표조사(NBS) 결과에 따르면, 9월4일 전국 교사집회에 대한 인식조사에서 77%가 '긍정적이라고 생각한다'고 답했다. 16%만이 '부정적이라고 생각한다'고 답했다.

연령별로 살펴보면, 18세~29세가 '긍정적이라고 생각한다'는 답변이 87%로 가장 높았다. 다음으로 40세~49세가 84%, 30세~39세가 82%, 50세~59세가 78%, 60세~69세가 74%, 70세 이상이 56% 등이다.

지역별로는 대전/세종/충청지역이 84%로 가장 높았으며, 서울 81%, 광주/전라 79%, 인천/경기 76%, 강원/제주 75%, 대구/경북 74%, 부산/울산/경남 73% 등이다. 이념 성향별로는 진보 91%, 중도 80%, 보수 69% 순이었다.

전국초등교사노조 윤미숙 대변인은 "교권 보호와 관련 법 개정에

많은 분들이 공감해주시고 또한 교사집회의 방식에서 정해진 규정이나 질서를 지켜가는 노력이 국민들의 마음을 얻은 것"이라며 "교육현장 변화에 국민들도 함께 지지해주시는 만큼, 교육당국은 국회의 법 개정은 물론, 실질적인 교권 보호에 적극 나서주기 바란다"고 말했다.

이번 조사는 휴대전화 가상번호(100%)를 이용한 전화 면접 방식으로 진행됐으며 표본오차는 95% 신뢰수준에서 ±3.1%포인트다. 2023년 8월말 행정안전부 주민등록인구 통계기준 성·연령·지역별 가중치(셀가중)가 부여됐다.(윤두현, 교육언론창, 입력 2023.09.14. 15:29, https://www.educhang.co.kr/news/articleView.html?idxno=828)

공교육 정상화

&

공부 문맹 탈출

- 멈춤, 되돌아봄, 나아감의 사유·고찰·반성적 사고 -

이 세상에는 열등한 존재도 우월한 존재도 없다

'행복이란, 자기 자신에게 만족하는 사람의 것이다.'(아리스토텔레스)

"이 세상에는 열등한 존재도 우월한 존재도 없습니다. 존재는 서로 다를 뿐이에요. 예를 들어 보통 사람 스무 명을 뽑아서 그 사람이 가진 모든 것에 대해 점수를 매긴다고 가정해봅시다. 키나 몸무게가 많이 나가는 순서, 눈이나 입이 큰 순서, 팔이나 손가락이 긴 순서를 매기고, 또 누가 더 달리기를 잘하나, 멀리뛰기를 잘하나, 요리를 잘하나 등으로 순서를 매긴다면 다양한 순위가 나옵니다.

스무 명에게 1,000개쯤의 질문을 하고 점수를 매겨서 평균을 내어보면 그 평균 점수가 비슷하게 나옵니다. 이것은 모든 사람이 각각 다르지만 전체적으로 보면 서로 비슷하다는 것을 의미합니다.

그러나 어떤 시대나 상황, 조건에서는 이 중에 몇 개만 가지고 등수를 매깁니다. 조선시대 과거시험에서는 오직 문장을 잘 쓰는 것으로 점수를 매겼어요."(행복, 법륜스님 저(著))

우리는 '시험'을 통해서 서열화·등급화하면서 억지로 우열(優劣)을 가리고 있다. 조선시대는 문장 쓰는 시험으로, 지금은 4지선다에서 정답을 고르는 시험으로 학생들을 줄 세우고 있다.

"국영수 시험 1등급의 공부 문맹은 학생을 줄 세우며, 이로 인한 낮은 자아존중감으로 행복의 조건을 앗아가고 있다."

Ⅰ. 교육에 대한 사유를 위한 멈춤
 1. 선생님들이 존중받는 사회
  # 누구나 아는 걸 가르치는 게 제일 어렵다
  # 징벌은 청렴·성실·진심에 어울리지 않는다
  # 3.1운동, 간디의 비폭력 저항운동은 위대하다
  # 서열화에 파묻힌 건 참 스승의 모습이 아니다

 2. 다이어트가 필요한 학교
  # 학교는 비만이다. 적절한 다이어트가 필요하다
  # 학교는 과로한다. 그리고 많이 아프다
  # 학교를 학교에게 돌려줘야 한다
  # 방과후교육, 돌봄교실의 일몰제 도입이 필요하다

Ⅱ. 교육의 방향 설정을 위한 되돌아봄
 1. 부자 나라,
  # 국민 개개인이 부자이다.
 2. 청렴한 나라,
  # 윗물과 아랫물이 모두 깨끗해야 맑은 물이다
 3. 학업이 우수한 나라,
  # 세계는 학력 신장을 위해 힘쓰고 있다
 4. 행복한 나라,
  # 사람은 누구나 행복할 수 있다
 5. 남녀 차별 없는 나라,
  #남성, 여성의 구별이 없는 사회이다

Ⅲ. 교육의 나아감

1. 상호존중·양성평등이 나아감의 출발점이다

#우리 민족의 DNA 회복 & 나아감

#Why, 상호존중·양성평등인가?

#Why, 독일 & 유대인을 벤치마킹해야 하는가?

2. 학교는 학교다워야 한다

#'학교폭력'이 아닌 '친구사랑'이 되어야 한다.

#학교는 학생을 1에서 2로 성장시키는 곳이다

#선생님은 징벌 대상이 아닌, 사회의 지도자다

3. 교육은 선생님이 주도해야 한다

#선생님이 공부의 뜻·목적을 사유해야 한다

#선생님은 '스승'이 되어야 한다

#교원의 정치 참여 시민권, 논의할 때가 왔다

Ⅰ. 교육에 대한 사유(思惟)를 위한 멈춤

"작전 타임", "선수 교체"

단체 스포츠 경기 농구, 배구 등은 정해진 횟수에 의해 그리고 축구, 야구 등은 정해진 시간에 작전을 논할 수 있는 시간과 선수 교체의 기회를 준다.

이기고 있는 상황, 지고 있는 상황에 맞게 감독과 코치가 멈춤의 시간을 통해 숙고를 거쳐 다양한 결단을 내린다. 보통 사람은 승(勝)과 패(敗)에 관계없어 보이지만, 지도자는 갈림길이라고 생각될 때 이루어지는 행동이다. 등산할 때, 고속도로나 사거리 등에서 잠시 멈추어서 행선지(行先地)를 점검하는 이치이다. 신기하게도 '작전 타임'과 '선수 교체' 이후에 불리하게 진행되었던 경기 흐름이 뒤바뀌는 것을 종종 보곤 한다. 두 가지 멈춤 방법의 시기적절한 사용을 지도자의 능력 중에 가장 중요한 덕목으로 보는 이유이다.

벽에 걸려 있는 시계, 손목에 차고 있는 시계의 초침·분침·시침, 심지어 디지털시계의 숫자도 다음 단계로 넘어갈 때 멈춤의 순간이 존재한다. 우리나라 교육에도 멈추어서 다음 단계로 나아가기 위해 생각하는 멈춤의 시간이 필요하다.

'공교육 멈춤의 날'은 우리나라 교육을 위한 '작전 타임'과, '선수 교체'를 위해 사유(思惟)의 시간을 주는 것이다.

1-(1) 선생님들이 존중받는 사회

누구나 아는 걸 가르치는 게 제일 어렵다.
-선생님은 학생의 인지적·비인지적 성장을 돕는다-

"유치원 과정은 부모들 누구나, 초등학교 과정은 일반적으로 저학년까지는 부모들 대부분이, 중학교는 소수의 부모만이, 고등학교는 극소수의 부모만이, 대학은 부모는 논외(論外)이며 교수(教授)만이 '가르칠 수' 있다."

공부 문맹 사회의 단적인 면을 보여주는 이야기이다. 선생님들을 지식전달자로만 보는 사회의 단면을 보여주는 슬픈 이야기이자 우리 사회의 자화상(自畵像)이다.

난이도(難易度)가 높은 지식을 배우는 성장한 학생들보다 비교적 쉽고 성인이면 대부분 누구나 아는 지식을 습득하는 어린 학생들을 지도하는 선생님들에 대한 존경·존중감이 상대적으로 낮아지는 것이다.

'지식전달자만의 역할'을 살펴보더라도 비유가 생뚱맞을지 모르지만, 미국의 로봇 공학자인 한스 모라벡(Hans Moravec)은 인간에게 쉬운 것은 컴퓨터에게 어렵고 반대로 인간에게 어려운 것은 컴퓨터에게 쉽다는 '모라벡의 역설 이론'처럼, 누구나 아는 지식을 전달하는 건 매우 어려운 일이다.

대학 교수는 한 강의실에서 수백 명을 가르칠 수 있지만, 유치원 선생님은 불가능하다. 대학생은 '누구나 아는 지식'이 아니지만, 유치원 원아는 '누구나 아는 지식'을 배워야 하기 때문이다.

가르치는 지식의 난이도에 의해 사회적인 존경심과 존중심이 존재한다는 건 직업의 귀천이 없다는 현대 사회에 역행하는 논리이지만 엄연한 현실이다. 지식의 난이도가 매우 낮은 유치원은 '유보통합'으로, 난이도가 비교적 낮은 초등학교는 돌봄과 방과후교육의 무한 확장인 '늘봄학교'가 자리매김하려 하고 있다. 어린 시절의 중요성으로 세 살 버릇 여든 간다는 말이 있다. 어릴수록 어려운 이치를 모르고 자꾸 짐을 얹으려 하면 이도 저도 얻을 수 없고 잃기만 하는 법이다.

선생님을 지식의 전달자로만 본다면, 굳이 학교에 자녀를 보낼 필요가 없을 텐데, 막상 하나둘뿐인 자녀에게 지식전달자로서 부모 역할이 불가능함을 알기에 보내는 것은 아닌가? 물론 의무교육 제도에서 학교를 보내지 않으면 법적인 제재가 있지만 말이다.

1~2명의 자녀의 교육이 어렵다는 것이 사회적 합의(?)인 걸 안다면, 수십 명의 학생, 수십 명의 다양한 개성을 가진 학생을 교실에 모아놓고 교육하는 선생님의 위대함(?)을 알 수 있지 않을까? 저절로 존경·존중감이 생기지 않으면 이상한 일이다.

참고로, 자녀의 올바른 성장을 진정으로 바란다면 선생님에 대한 존경과 존중감이 제일 중요한 일이다. 부모가 선생님을 어떤 마음으로 바라보는지를 자녀가 모를 수가 없다. 훌륭한 선생님이라는 자녀의 인식이 전제되었을 때 대부분 부모가 그토록 원하는(?) 시험도 잘 보는 공부 잘하는 아이가 될 것이다.

시험이 공부가 된 사회, 시험으로 서열화·등급화하는 사회는 사유(思惟)가 존재할 수 없는 사회로 하락했다. 선생님에 대한 존중과 존경도 함께 사라졌다.

사유(思惟)를 위한 반복적이고도 지속적인 '멈춤'으로서 대학 교수를 포함한 모든 선생님은 학생의 성장을 돕는 게 사회에서 기대하는 역할임을 되새겨야 한다.

학생의 성장을 위해서는 사칙연산, 미분 적분, 경영학, 의학 등 인지적 영역의 지식도 필요하지만, 사회적 동물인 인간에게는 남과 더불어 협력하며 살며 자신을 자치(自治)할 수 있는 비인지적 영역이 더욱 절실하다. 인지적 영역은 가정에서 컴퓨터와 인터넷 통신의 발달로 홈스쿨링 혹은 개인 과외로 가능할지 모르지만, 비인지적 영역을 가정에서 지도하는 것은 불가능하다.

선생님은 학생의 인지적·비인지적 성장(成長)을 돕는 존재라는 것이 교직과 사회에 재(再)인식될 때 선생님에 대한 존중과 존경심, 더 나아가 사회 구성원 모두에 대한 존중과 존경심이 넘치는 사회가 될 것이다.

1-(2) 선생님들이 존중받는 사회

징벌은 청렴·성실·진심에 어울리지 않는다.
-선생님은 시민의 자아실현에 앞장선다-

"교사가 직위해제 통보를 받는 순간 직무배제로 인한 심리적 고통은 물론이고 최대 70%에 이르는 봉급 및 수당의 감액, 호봉 승급 및 승진의 제한, 연가 및 연금 산정에서 재직기간 제외 등 다양한 추가적 불이익이 발생한다. 더 큰 문제는 이후 수사 및 재판에서 경징계 정도의 결과가 나오더라도 중징계 또는 당연퇴직형과 동일하게 불이익이 전혀 회복되지 않는다는 점이다." (이수일, 교육희망, 2023/06/14 [12:00], http://news.eduhope.net/25311)

선생님은 스스로가 자아실현을 이루려는 욕구가 높은 존재이다. 자신에 대한 높은 자부심이 없는 선생님은 성장 과정의 학생 앞에 서는 것이 매우 부담스러운 일이다. 자기 확신에 대한 준비가 안 된 사람이 타인의 성장을 돕는다는 것은 어려운 일이다.

'선생님의 똥은 개도 먹지 않는다'(※ 요즘은 상상을 못 할 일이지만, 과거에는 먹을 것이 부족했기에 키우는 개가 주인의 대변도 아주 맛있게 먹었다)라는 말은 매슬로우의 상위 욕구인 내면적 성숙을 이루려는 자(者)가 가진 고뇌를 미루어 짐작할 수 있는 속담이다.

선생님들은 자신의 자아실현이 먼저 되어야 학생들의 자아실현을 도와 사회 전반의 의식 수준을 높이는 역할을 하고자 했다. 그런데,

높은 수준의 욕구가 아닌 하위 욕구인 선생님 스스로의 안전에 대해 위협을 받는 실정이다. 최근 들어 아동학대로 신고된 교원에 대한 무분별한 직위해제 결정이 잇따르고 있다.

직위해제란 공무원에 대하여 일시적으로 직무로부터 배제 시키는 처분이다. 아동학대는 아동학대 의심만으로도 누구나 신고할 수 있고 학교 종사자들처럼 신고 의무자는 지자체 또는 수사기관에 즉시 신고하여야 하며, 신고하지 않으면 과태료가 부과 및 윤리적 책임에 의한 민원이 발발되기에 신고가 빈번할 수밖에 없다.

교사는 항상 아동과 함께 생활하며 성장을 돕는 역할이기에 아동학대에 장기간, 무제한·무분별적으로 노출되고 있다. 가정 내 심각한 아동학대를 막기 위한 아동학대 처벌법이 학교에 적용되면서 교권뿐 아니라 선생님의 안전한 개인 생활이 무너지고 있다.

인지적 영역 지도만이 선생님의 책임이자 역할이 아니다. 비인지적 영역의 지도인 '생활지도' 과정에서 생기는 일이 법에서 정한 아동학대의 잣대를 피할 도리가 없어졌다. 신고당한 교사는 우선 수업에서 배제되거나 직위해제 되고, 이후 수사와 법적 조치 등이 이루어진다. '궁예의 관심법'이자 '이어령, 비어령'의 아동학대 처벌법은 선생님의 손발을 묶기에 충분했다.

우리나라는 선생님들의 자부심을 높이기보다는 징계의 대상으로 삼으며 사기의 저하와 존중심을 떨어트렸다. 국가공무원법은 공무원을 보호하기보다는 처벌을 위해 만든 법으로 여겨지곤 한다.

파행으로 치닫는 교육 현장을 멈춤으로써 되돌아보고자 선생님들은 '2023.9.4. 공교육 멈춤의 날'을 선언했을 때, 교육부 장관은 문제 해결에 대한 노력에 앞서 징계의 칼날을 모든 교육자에게 들이댔다. 참여하는 선생님과 참여하지 않는 선생님을 갈라치기 하려 하였으며 같은 동료인 교장·교감과 선생님들을 갈라치기 하려 했다.

우리나라는 타고난 근면성실의 DNA로 대일항쟁기와 6.25 전쟁으로 인해 먹고 살기에 사활을 건 생존의 욕구 수준을 뛰어넘어 섰다. 치안과 국방도 튼튼하여 안전의 욕구를 뒤로하고 사회 각종 인프라 및 커뮤니티의 활성화로 소속의 욕구를 실현하고 있으며 존경의 욕구·자아실현의 욕구를 향해 나아가야 한다.

자아실현을 이루고자 하는 사회의 주도적인 역할을 할 수 있는 대표적인 사람이 선생님이다. 한강의 기적을 일으킨 주역으로 외국 학자들이 꼽았던 선생님들이 이제는 '자아실현'을 이루는 나라로 이끄는 시대가 되어야 하는데 그 주체 세력의 날개를 꺾어서는 안 된다. 유네스코에서도 인정한 전 세계의 선생님 중에 지적 수준이 가장 높은 대한민국 선생님들을 채찍으로 다스리려는 사회는 극심한 문화지체 현상으로 미래가 없다.

직업인만으로 역할을 하는 숙사(塾師)가 아닌 청렴·성실·진심을 지닌 선생님들을 높은 수준으로 존중할 때 우리 사회는 더욱 성숙한 사회가 될 수 있다. 공부 문맹 사회는 사유(思惟)가 절대적으로 부족한 사회이다.

1-(3) 선생님들이 존중받는 사회

3.1운동, 간디의 비폭력 저항운동은 위대하다.
-자기 주도적인 모범·모험생이 되어야 한다-

"'칼각 질서' 빛난 20만 교사집회…"또 보자" 경찰이 인사 건넸다(중앙일보), "바둑돌인 줄" 경찰도 감탄한 '질서정연' 교사 집회(서울신문), 경찰도 깜짝 놀란 전국 교사들 집회…"깔끔 그 자체"(한국경제), 정치인·선동·민폐 없었다… '집회의 교과서' 보여준 교사들(조선일보), '선생님들 집회 응원한다'는 경찰 왜?…"질서있고 깨끗했다"(매일경제), 교사 집회 어땠길래…경찰 "이런 집회만 다니면 좋겠다"(머니투데이), '20만' 교사 집회 어땠길래…'칼각·질서'에 경찰도 놀랐다(시사저널), 경찰도 반한 전국 교사들 집회, '깔끔 그 자체(매일신문), '바둑돌인가' 했는데…감탄 자아낸 각 잡힌 20만 교사 집회(디지털타임스)……"

선생님들의 2023.9.2. 대규모 집회를 취재한 기사 제목이다.

20만이 아닌 200명이 모여도 보통의 집회는 고성과 비방, 심지어 몸싸움이 잦고 끝난 자리는 각종 쓰레기가 난무한 경우가 종종 있다. 그러하기에 유수의 일간지에서 집회를 칭찬하는 공통된 의견의 기사가 쏟아져 나왔다고 생각될 수 있다.

그런데 아쉽게도 기사 내용은 'Ctrl+C, Ctrl+V'로 복사해서 대동소이하게 쓰였다. 칭찬을 칭찬으로 들을 수 없는 건 본저(著)의 저자(著者)만이 아닐 것이다. 교사들의 고충을 이해하고 사회적인 이슈를 해결하는 표현은 매우 인색했으며 행간의 의미를 보면 '공교육 멈춤의 날'을 '수업 파행' 등으로 표현하며 은근히 선생님들을 질타했다.

공부 문맹 사회는 사회에 암적으로 존재한다.

갓 태어난 코끼리를 말뚝에 묶어서 키우면, 어른 코끼리가 되어서도 나무 말뚝을 벗어나지 못한다고 한다. 대일항쟁기의 일본이 우리나라를 얌전한 토끼에 비유하며 '조선인은 온순하다, 온순하다'를 세뇌를 시키듯 선생님들을 매스컴에서 말 잘 듣는 모범생으로 각인시키는 걸로 보인다. 하지만, 선생님들이 품고 있는 DNA를 잊은 듯하다.

공부 문맹 사회에서도 선생님들은 학생 주도의 4.19 혁명, 5.18 민주화 운동, 군부독재에 맞서는 민주화 운동, 촛불혁명의 위대한 운동가를 길러냈다. 총칼 앞에 맞선 3.1운동의 비폭력 저항운동을 더욱 계승 발전시키는 역할을 한 것이다. 인도의 간디는 우리의 DNA를 벤치마킹해서 1920년부터 비협력 형태의 비폭력 저항운동을 이끌었듯이 선생님들의 집회 문화는 숭고하며 위대한 것이다.

본 저(著)의 앞부분 양해와 해량의 변에서 변론한 "선생님들은 상식 & 신념이 있습니다."를 반복해 본다.

하나. 선생님은 높은 자부심이 있다.

하나. 선생님의 중심에는 학생이 있다.

하나. 선생님의 권리 보호는 학생을 위함이다.

하나. 선생님은 국가의 성장 동력에 함께했다.

하나. 선생님은 학교가 전부이다

하나. 선생님의 소박하나 원대한 꿈은 교육이 가능한 학교,
　　　올바른 교육이 가능한 교실이다.

50만의 지성인 집단을 손바닥 위에 올린 공기놀이 돌처럼 마음대로 휘두를 수 있는 존재라고 착각하는 사회 분위기는 공부 문맹 사회의 극치이다. 물론 선생님들은 국가공무원으로서 국가공무원법을 성실히 지키고 국가 수준의 교육과정을 운영하며 타에 본보기가 되는 모범(模範)적인 모범생(模範生)이 되어야 한다. 말과 행동이 다른 사람은 사회의 지도자가 될 수 없고 학생들 앞에 서기가 부끄럽기에 더더욱 그러하다. 하지만 이미 우리 사회의 선생님 몸과 마음에는 국가공무원으로서 보다 이전에 개인의 품성과 역량에 체화된 부분이 있다.

그러나 자기 주도적이지 못한 모범적인 선생님은 학생들을 주도적인 인재로 키울 수 없다. 모범생 중에도 교육적 철학이 뚜렷한 자기 주도적인 모범생이 되어야 한다. 그런 선생님이 학생과 부모, 온 사회가 레드오션에 집착하는 국영수 1등급의 공부 문맹 사회에서 다양성을 존중하는 블루오션으로 눈을 돌릴 수 있는, 위험을 두려워하지 않는 모험생(冒險生)으로 성장시키는 사회로 성장시킬 수 있다.

우리나라 모험생(冒險生) 정신의 DNA는 금속활자, 한글, 팔만대장경 같은 뛰어난 창의적 발명품을 만들어 세계에 나눈 위대한 역사의 민족으로 만들었다. 다시 상기하고 깨어나서 생각 없는 공부 문맹 사회에서 벗어나야 한다.

선생님이 먼저 자기 주도적인 모범생이자 모험생이 되어야 하는 절실한 이유이다.

서열화에 파묻힌 건 참 스승의 모습이 아니다.
-선생님이 먼저 국영수 1등급 사회에서 탈출해야 한다-

"인디언들은 타고 달리던 말을 가끔 멈춰 세우고 뒤돌아본다. 너무 빨리 달려서 말을 탄 몸의 영혼이 따라오지 못할까 봐 잠시 기다린다."

본 저(著)의 서두에 올렸던 글로 선생님들이 사회에서 해야 할 매우 중요한 역할이다.

대한민국은 서양 세계와 주변국 일본보다 훨씬 늦은 출발로 '물질적으로' 잘살아 보고자 하는 열망으로 앞만 보고 정신없이 질주했다. 의무교육으로 경제 발전에 힘을 합칠 평균적 인재가 필요한 시기로 국민 학업의 적정 수준을 챙겨야 했기에 성적으로 학생들의 도달도 측정이 필요했다. 그것으로 인해 시험이 학교 문화에 팽배해졌고 선생님들도 그 늪에 빠졌다.

학생 평가와 등수에 따른 내신 등급제와 같이 교직의 점수제와 서열화의 적극적인 도입은 교직을 노골적으로 승진 가산점 챙기는 문화로 만드는 불상사가 생겼다. 절대평가가 아닌 줄세우기식의 상대평가로 서열화하는 문화가 교직에 뿌리를 깊이 내리기 시작했다. 자녀들의 좋은 대학 진학을 위해 스펙과 성적을 쌓으려는 극성의 소수 학부모의 열띤 경쟁이 결국은 보통의 학부모도 경쟁의 고속도로에 올라설 수밖에 없게 된 것처럼 교직의 소수가 아닌 보통의 선생님도 교직의 스펙 혹은 자신만의 성적 쌓기로 변화되었다.

　동료 교사를 시험 성적으로 이겨야만 승진시키는 토너먼트 방식처럼 치열하며 국영수 1등급보다 더 높은 수준을 요구하는 시험으로 평가받는 교직은 각박한 세상, 외로운 세상, 고립된 세상으로 동료 사이를 소위 '갈라치기'하는 문화로 만들었다. 시험 보는 사회로 인해 '악성' 민원인이 필연적으로 등장했던 것처럼, 자신의 개인 영달만을 위한 승진을 위해서 물불을 가리지 않는 동료가 종종 생기며 교직에도 '악성 종양' 같은 이기심으로 참스승의 존재감이 흐려지게 되었다.

　동료를 제치고 승진하기 위해 부끄러운 행태를 보이는 교사들이 각종 매스컴을 타기도 하고, 단지 직장인으로 감동 없이 살아가는 교사들의 모습이 늘어나기도 하였다. 비록 소수지만 그들은 너무 이기적이고 편협하며 아집을 부리면서 살아가기에 진정한 선생님으로 불릴 수 없다.

　선생님들이 '스스로의 서열화'에 뛰어들어 교장·교감이 되면서 어찌 학생들의 서열화 경쟁, 국영수 시험 잘 보는 경쟁에서 벗어날 수 있게 하겠는가? 선생님의 교직 자체가 시험으로 이루어졌는데 시험이 공부가 아니라고 학생들에게 말하는 것은 손바닥으로 하늘을 가리는 것과 같지 않은가?

　교직에 도입된 극도의 시험 문화는 내재적 동기유발이 아닌 점수제에 의한 외재적 동기유발 시스템을 공정이라는 명분으로 내세웠다. 성과금 지급을 위한 정량 및 정성 평가, 학년 배정을 위한 점수제, 부장을 누구도 맡지 않으려 하기에 부장 순환을 위한 점수제, 근무성적평정 1등, 최상위 점수가 요구되는 각종 연수성적, 경력 점수, 오밀조밀하여 이해하기도 어려운 승진 규정 등이 학생들의 서열화·등급화보다 더 진일보해 있다.

점수제와 서열화의 적극적인 도입 전에는 자기 주도적 철학에 의한 인생관과 교직관에 의해 평교사 혹은 교장 등으로 퇴직하는 것에 대해서 선택적인 사항이었다. 담임교사로서 학생들과 밀착된 최일선에서 접할 수 있는 평교사로 퇴직하는 것을 자랑으로 여기는 선생님들도 많았다.

승진에 목표를 두는 교장·교감보다도 평교사로 1년에 수십 명의 제자를 키우는 것이 가장 큰 보람이라고 여겨 교직에 대한 높은 자부심으로 '노블레스 오블리주'보다 더 높은 도덕적 책무를 가지고 열정을 토해낸 선생님들은 학생과 학부모, 후배 교사들에게 존경과 존중의 마음을 받았다.

지금은 더욱더 국가의 위기를 극복하고 더 나은 미래 교육으로 향하기 위해 학생들에게 공부는 지덕체를 함양하는 전인교육이라고 힘주어 말하는 스승님이 필요한 시대이다. 어지러운 사회를 향한 외침, 고결한 언행으로 깨우침을 주는 '아무개 선생'이 그리운 시대다. 시험이 공부라는 공부 문맹의 험난한 세상에도 스승이 되고자 하는 선생님들이 많다는 것은 대한민국의 힘이다.

2-(1) 다이어트가 필요한 학교

학교는 비만이다. 적절한 다이어트가 필요하다.
-학교는 교육 중, 공교육이 주요 역할이다-

"비만은 과도한 체지방의 증가로 인하여 대사 장애가 유발된 상태를 말한다. 비만은 심질환, 뇌졸중, 당뇨병, 고혈압, 이상지질혈증, 근골격계 질환, 각종 암 등의 중요한 위험인자이다. 1996년 세계보건기구는 '비만은 장기 치료가 필요한 질병'으로 규정하였다."

양육·보육·훈육·교육은 각각 고유의 뜻도 있지만, 어린이를 성장시킨다는 공통의 의미도 포함하고 있다. 명칭을 명명할 때 가장 적절한 이름으로 정하려 하는 세상의 속성이 있기에 우선 각각의 정의를 살펴보고자 한다. 어떤 사람도 시대에 따라, 환경에 따라, 정의하는 사람에 따라 명칭의 의미가 변할 수도 있기에 이 정의가 가장 보편적인 정의라고 말할 수는 없다.

△ 양육(Nurture, 養育)이란 아동을 어른으로 성장하도록 돌보면서 지적 사회적 능력을 길러 주는 거로 주로 친부모에 의해 이루어지지만 입양된 경우 양부모에게서, 또는 정부나 비영리 단체가 운영하는 보육원에서 양육이 되기도 한다.(위키백과)

△ 보육(Child care, 保育)은 가정 등에서 아동을 건강하고 안전하게 보호, 양육하고 영유아의 발달 특성에 맞는 교육을 제공하는 보육시설 및 가정양육 지원에 관한 사회복지 서비스다."(위키백과)

△ 훈육(Discipline, 訓育)은 피교육자를 교사 혹은 훈육관이 의도하는 특정한 인성이나 행동 특성을 갖도록 기르는 것"(한국민족문화대백과사전)

△ 교육(education, 教育)은 개인이나 집단이 가진 지식, 기술, 기능, 가치관 등을 대상자에게 바람직한 방향으로 가르치고 배우는 활동이다."(위키백과) 인간이 삶을 영위하는 데 필요한 모든 행위를 가르치고 배우는 과정이며 수단을 가리키는 교육학 용어(한국민족문화대백과사전)

△ 공교육(Public education, 公教育)은 훌륭한 국민을 육성한다는 공공적인 목적을 위하여 국가 또는 지방자치단체가 설립·운영하는 학교교육 또는 이에 준하여 시행하는 학교교육을 의미하며, 국·공립, 사립학교 교육 모두를 포함한다.(두산백과)

△ 사교육(私教育, Private Education)은 공교육에 반대되는 개념으로, 국가가 관리하는 유아교육법 및 초·중등교육법 그리고 고등교육법의 적용을 받는 교육기관 밖에서 이루어지는 교육을 일컫는다.(위키백과)

지금까지 열거한 정의를 살펴보면, 양육과 보육은 훈육과 교육과 구별되는 개념임을 알 수 있다. 물론 무 자르듯이 명확한 선을 긋기가 어렵다. 양육과 보육도 엄연히 지적 능력을 키워주기에 교육의 의미를 포함하며 사회적 가치 및 규범, 생활질서를 가르치는 훈육을 포함하고 있기 때문이다. 하지만, 가정이나 사회복지 서비스에서 해야 할 주요 역할은 양육과 보육임은 부정할 수 없다. 보육시설 및 가정양육 지원 사회복지 서비스는 맞벌이 부부 혹은 시설·인력 부족으로 양육의 역할

수행이 어려운 시설에서 이용한다. 이곳에서는 보육이 주역할이다.

학교는 가정 혹은 보육원에서 '양육'만으로는 지적·사회적 능력을 키우는 데 한계가 있기에 국가에서는 의무'교육' 제도 도입으로 '교육'을 위해 학교에 보내도록 하는 법을 제정하였다.

결론적으로 학교의 정체성은 공교육 기관으로 학생들에게 지식, 기능, 가치관 등을 바람직한 방향으로 가르치고, 특정한 인성이나 행동 특성을 갖도록 훈육하는 곳이다. 그런데 학교를 양육·보육·훈육·교육의 기능 가중치를 모두 최상으로 올리려는 목표로 방과후학교·늘봄학교·공립(초등)학교를 운영하려는 과욕이 학교의 정체성을 실종시키며 학교를 무겁게 만들었고 움직이기 힘든 비만 상태에 빠지게 한다. 한 지붕 세 가족이 된 학교는 바람 잘 날이 없어졌고 비만이 각종 질병을 유발하듯이 학교를 병들게 하고 있다.

게다가 '학교폭력' 제도는 돌봄에서 일어난 일도, 방과후학교에서 일어난 일도, 태권도 학원에서 일어난 일도, 동네 놀이터에서 일어난 일도, 친구 집에서 일어난 일도, 방학 중에 일어난 일도 모두가 학교에서 감당한다는 제도이다. 학교는 학교폭력에 관해 연중무휴 24시간 풀타임으로 책임지는 곳이다.

법에 근거해서 사회질서 유지하려는 가치가 같기에 효율성이 높다는 이유만으로 법원에서 경찰서·검찰청·교도소를 함께 운영 및 모든 책임을 진다면 어찌 될까? 비약이 너무 심하다고 생각될지 모르지만, 학교가 처한 상황이다.

2-(2) 다이어트가 필요한 학교

학교는 과로한다. 그리고 많이 아프다.
-학교는 쉬는 시간이 없고 런닝타임이 늘어난다-

"학교의 돌봄, 방과후학교가 유휴시설 활용이라는 논리라면, 국·공립 도서관, 대학을 비롯한 공공시설도 시간제한 없이 시민에게 개방하여 활용하는 것은 어떤가? 학교는 되는 데, 왜 안 되나?"

학교폭력예방 및 대책에 관한 법률 제2조 제1호에서 '학교폭력이란, **학교 내외에서** 학생을 대상으로 발생한 상해, 폭행, 감금, 협박, 약취와 유인, 명예훼손·모욕, 공갈, 강요·강제적인 심부름 및 성폭력, 따돌림, 사이버 따돌림, 정보통신망을 이용한 음란·폭력 정보 등에 의하여 신체·정신 또는 행위를 뜻한다'로 규정했다.

궁예의 관심법에 버금가는 아동학대처벌법과 어깨를 나란히 할 수 있는 법이 바로 학교폭력예방 및 대책에 관한 법률로 학교 현장을 마비시키는 쌍두마차(?)이다. '학교 내외에서' 발생하는 일로 시간적·공간적 제한 없는 규정으로 학교는 무한 책임을 진다. 또한 학생의 일상생활 일거수일투족에서 학교폭력의 범주에 포함되지 않는 내용이 있을까? 학교폭력이 학생들만의 문제로 끝나지 않는다. 아이 싸움이 어른 싸움으로 번지며 학부모의 다툼으로 결국에는 학교는 더 큰 싸움터로 변하게 된다.

관공서를 비롯한 대부분 회사에서 하루 8시간 근무를 한다. 근무 시간 중에는 현재 즉시 처리할 업무도 있지만, 다가오는

가깝거나 다소 먼 미래의 업무를 계획하기도 한다. 8시간 내내 일만 하는 게 아니라 중간중간에 휴식도 하며 개인적으로 재충전 시간을 보낸다. 그것이 개인의 건강뿐 아니라 조직의 업무 효율을 높이는 방법이다. 하루 종일 톱질과 도끼질한 벌목꾼보다 쉬어가며 톱날과 도끼날을 손본 벌목꾼이 더 많은 나무를 벤다는 이치와 같다.

초등학교는 학생 등교와 함께 하교할 때까지 휴식을 취할 시간이 없다. 중간중간 교과전담 시간이 있지만 휴식을 취하지 못한다. 학생을 가르치는 일 이외에도 학교에서 맡은 업무를 처리하기에도 부족하다. 학생들이 교실에 들어온 8시 40분부터 하교하는 14시 40분까지 휴식 시간이 없다. 쉬는 시간은 생활지도로 더 큰 에너지가 필요하곤 하다. 점심시간에는 급식지도로 밥이 코로 들어가는지 입으로 들어가는지도 모르게 더욱 바쁜 시간이다.

하루 8시간 근무 중 6시간을 단 1분의 쉼도 없이 달려왔건만, 나머지 2시간도 쉴 수 없다. 선생님들이 교실에서 온전히 자신만의 시간을 가지면서 동학년 선생님과 함께 교육과정을 연구한다거나 내일 수업을 준비하기도 해야 하고, 학부모 상담, 학생 상담, 학생 과제 검사·성적 처리 등의 담임 업무, 학교 업무 등을 진행해야 한다.

그런데, 선생님들이 남은 2시간을 위의 업무를 하며 지낼 수 없다. 학교의 제한적인 같은 공간 안에 돌봄교실 학생, 방과후학교 학생이 여전히 담임 선생님 교실 혹은 다른 교실에 있으며 지속적인 질문과 소통을 요구한다. 학생이 눈앞에 있는 이상 선생님들만의 온전한 시간 확보는 불가능하다. 게다가 방과후학교 교실이 부족하다고 학급수를 줄이고 특별교실을 방과후학교에 내주고도 부족하기에 담임 선생님 교실을 내어 줘야만 하는 보따리장수 같은 선생님도 비일비재하다. 자기 반 학생들의 수업 결과물이나 업무 서류를 들고 교무실이나 옆 반을 찾아야 하는 형편이다. 그 상황이 녹녹치 않기에 짐을 싸서 집으로 가져가 업무를 한다. 걷는 것이 운동에 좋은 것을 알지만 들고 다닐 물건이 많기에 자가용을 운전하는 선생님이 많은 이유다.

절대적 휴식기인 방학이라는 시간이 없으면 대다수 선생님이 병에 걸리고 만다. 학생을 대상으로 말을 하는 직업이 얼마나 고된지는 말로 먹고사는 직업의 사람들은 안다. 오죽하면 부모는 자녀가 방학하면 힘들어서 정신을 못 차린다고 한다. 물론 다른 직업이 쉽다고 이야기하는 것은 결코 아니다.

인간은 환경에 지배받는다. 좋은 공기, 좋은 물, 좋은 환경에서 일해야 건강하듯이 학교라는 환경이 건강해야 그 안의 구성원들이 건강하다. 그런데, 지금의 학교는 1일 8시간의 런닝타임이 아니다. 돌봄교실이 등교 전 1시간, 오후에 대략 2시간 내외로 학교의 런닝타임은 11시간이 넘는다. 방학에도 학교는 돌봄과 방과후학교로 쉬지 않는다. 불가피한 공사가 아닌 이상 학교는 쉬는 시간이 없고 비만하며 과로한다. 초등학교만 점점 더 악화되고 있다. 국영수 1등급을 위한 수능 시험 준비하는 고등학교는 언감생심 감히 언터처블의 존재이다. 굳이 유휴공간 활용이라는 차원으로 내세운다면, 학교처럼 일반 관공서도 돌봄과 방과후교육으로 활용하면 안 되나?

2-(3) 다이어트가 필요한 학교

학교를 학교에게 돌려줘야 한다.
- 돌봄, 방과후학교 관계자는 잘못 없다.
리더들의 생각 없음이 잘못이다 -

"본 저(著)의 내용은 정부의 정책에 대한 내용이다. 절대로 방과후 업체 관련 종사자, 돌봄교육 실무사를 불편하게 하려는 것이 아니다. 그들도 역시 국가 정책 부재의 피해자이다. 그 사실을 모르기에 장소와 서비스를 제공하는 학교를 원망하는 것이다."

"방과후학교는 제도 시행 14년이 지났지만, 법률적 근거가 마련되지 않았다. 교육부 장관이 정한 초·중등교육과정 총론(고시)에 나와 있는 '학교는 학생과 학부모 요구를 바탕으로 방과후학교 또는 방학 중 프로그램을 개설할 수 있으며, 학생의 자발적인 참여를 원칙으로 한다'라는 내용뿐이다."(전자신문, 2019-05-16 16:02)

현행 초등학교에서 운영되는 돌봄교실과 방과후교육에 대해서 상위법인 교육기본법·초중등교육법에는 전혀 근거가 없고, 초중등 교육과정 총론의 Ⅰ, Ⅱ, Ⅲ에서도 돌봄과 방과후학교 운영의 근거가 없다. 단지 초중등교육과정 총론의 마지막 부분 Ⅳ의 2. 학습자 맞춤교육 강화, 국가 수준의 지원도 아닌 교육청 수준의 지원 1)항, 마)바)에서 근거를 두고 있다.

극히 일부분에 자리 잡은 두 개뿐인 조항으로 학교를 돌봄학교·방과후학교·초등학교인 한 지붕 세 가족으로 만든 것이다. 선생님들의 업무 중에 회계가 가장 빈번하고 수많은 기안문이 생산되는 분야가 방과후학교 분야이며 천재지변이나 학교 공사 혹은 다양한 상황으로 인해 변화무쌍하게 운용되는 것이 돌봄교실이다. 학교 행정실에서 처리하는 회계 업무의 절반 이상이 방과후학교 건이라고 해도 과언이 아니다. 학교폭력을 비롯한 각종 민원 절반 이상의 생산 장소가 돌봄과 방과후학교라는 사실이 명백하다.

초중등교육과정 총론의 마지막 부분 IV의 2. 학습자 맞춤교육 강화, 국가 수준의 지원도 아닌 교육청 수준의 지원 1)항, 마)바)는 다음과 같다.

IV. 학교 교육과정 지원

· '학습자 맞춤교육 강화'에서는 다양한 특성을 가진 학습자들의 학습을 지원하는 데 필요한 사항을 제시한다.

2. 학습자 맞춤교육 강화

가. 국가 수준의 지원

나. 교육청 수준의 지원

1) 지역 및 학교, 학생의 다양한 특성을 반영하여 학교 교육과정이 운영될 수 있도록 지원한다.

마) 지역사회와 학교의 여건에 따라 초등학교 저학년 학생을 학교에서 돌볼 수 있는 기능을 강화하고, 이에 대해 행·재정적 지원을 한다.

바) 학교가 학생과 학부모의 요구에 따라 방과 후 또는 방학 중 활동을 운영할 수 있도록 행·재정적 지원을 한다.

2021년 초등돌봄교실 운영 길라잡이에서 발췌한 돌봄과 방과후교육의 확대 역사를 간략히 살펴보면 다음과 같다.

-2004년 초등 저학년 '방과후 교실' 도입 정책 발표 및 시범운영(28개교), 학기중 12:00~19:00, 방학중 08:00~19:00
-2009년 '종일돌봄교실'(초등보육교실을 야간까지 운영) 시범운영(300개교)
-2010년 초등교육교실을 '초등돌봄교실'로 명칭 변경 및 확대(6,200실)
-2011년 '엄마품 온종일 돌봄교실' 시범운영(~'13년) 아침돌봄 (06:30~09:00), 오후돌봄(방과후~17:00), 저녁돌봄(17:00~22:00)

-2013년 초등 방과후 돌봄 강화 모델학교 시범운영(78개교)

　　　　방과후 돌봄서비스 법정부 통합지원 시범운영(6개 지역)

-2018년 온종일 돌봄정책 발표(4월),

　　　　초등돌봄교실을 '22년까지 총 3,500실 확대

-2019년 신학기 초등돌봄교실 운영 방안 수립(1월)

-2020년 신학기 초등돌봄교실 운영 방안 수립(1월)

　　　　코로나19 관련 긴급돌봄 운영

-2021년 2021년 신학기 초등돌봄교실 운영 방안 수립(1월)

　　　　초등돌봄교실 운영 개선방안 발표(8월)

목표 **모든 아이가 행복한 돌봄서비스 제공**

핵심과제	중점 추진과제
초등돌봄교실 확대 및 내실화	- 대상 및 시간, 공간 확보를 통한 돌봄교실 확대 - 서비스 적정기준 마련 등 운영 내실화
지역사회와 함께 하는 돌봄서비스 활성화	- 지역사회와 연계한 촘촘한 돌봄서비스 제공 - 지자체 중심의 온종일 돌봄 생태계 구축
돌봄체계 구축을 위한 지원 강화	- 행·재정적 지원 다양화 - 현장 소통 강화

우리 모두의 아이.
학교와 마을이 함께 돌보겠습니다.

"학교와 마을이 함께 돌보겠습니다.??" **'마을'**은 학교에 비해서 어느 정도의 역할을 하고 있는지 매우 궁금하다.

2022.6월, 머니투데이(https://news.mt.co.kr/mtview.php?no=2022061016355154702)를 보면, 생각 없는 사회, 공부 문맹 사회가 드러난다. 교육계의 일반적인 의견도 아닌 한 개인의 의견을 전부인 양 보도한 언론의 모습에서 철학 없는, 사유 없는 암울한 사회를 느낀다.

"교총 등 교원단체들은 학교가 장소 등을 지원하고 지역사회, 지방자치단체가 방과후 과정을 책임지는 형태가 돼야한다는 입장이다. 지자체가 운영주체가 돼야 한다는 것이다. 반면 방과후강사들은 고용 불안, 차별 근절, 공공성 강화를 위해 법안 제정이 필요하다고 보고 있다. 이에 대해 한 교육계 관계자는 "교원단체 반발이 심하지만, 학생, 학부모 입장에서 보면 학교가 제일 안전하고 믿음직하기 때문에 학교가 하는 게 맞다"고 강조했다.(*공부 문맹의 극치이다). 그러면서 교원들이 우려하는 업무 부담 가중 문제는 법제화를 하더라도 해결할 수 있다고 설명했다. 이 관계자는 "급식처럼 별도의 행정·교육 라인을 구축하면 교원 업무 부담이 생기지 않을 것"이라며 "학교장 결제 자체가 부담이 된다고 하면, 해당 업무를 책임질 교감·부장을 지정할 수 있다"(*공부 문맹의 극치 중의 극치이다).고 말했다.

급식 정책도 땜질 정책이며 영양교사 한 명에게 숨쉬기조차 힘든 과중한 업무를 던져 놓은 정책임을 간과하는 사회가 무섭다. '업무를 책임질 교감·부장을 지정하면 된다'는 교육 관계자와 그 기사를 싣는 언론이 있는 사회가 학교를 병들게 하고, 학교를 학교가 아니게 만든다.

법률적 근거 없이도 학교 현장 주요 업무 부담의 중심을 차지하는 돌봄과 방과후학교가 법률 제정까지 된다면 학교는 더 이상 학교가 아니다. 이제 학교를 학교에게 돌려줘야 한다.

2-(4) 다이어트가 필요한 학교

방과후교육, 돌봄교실의 일몰제 도입이 필요하다.
-학생, 학부모도 학교의 정체성이 헷갈린다-

※ 일몰제는 해가 지는 것처럼, 일정 기간이 지나면 효력이 상실되는 제도

"학교에서의 돌봄과 방과후교육은 최소한 공간과 운영 주체가 학교와 완전히 분리되어야 한다."

급속한 경제 발전과 입시 위주의 사회로 맞벌이 부부의 급격한 증가 및 과도한 사교육비 부담이 사회 문제로 부상했다. 국가의 제도적, 인적·물적 자원 인프라가 부족한 시절로 돌봄과 방과후교육이 절실하기에 학교가 물 한 대접 더 넣는 심정으로 수용했다. 사회적으로 고통을 분담하는 심정으로 학교가 나설 수밖에 없는 현실이었다. 돌봄은 2004년, 방과후교육은 2007년 학교 도입되었다.

"물에 빠진 사람 구해주니 보따리 내놓으라 한다.
봉당을 빌려주니 안방까지 달란다."

남에게 은혜를 입은 사람이 그 고마움을 모르고 도리어 생트집을 잡거나, 커다란 위기에서 벗어나자마자 구해준 사람의 고마움을 싹 잊고 도리어 원망만 하는 경우·매우 염치없음을 지칭하는 속담이다. 학교가 왜 돌봄과 방과후교육의 원망 대상이 되었을까? 국가는 질 높은 보육, 질 높은 사교육을 법제화하면서까지 학교에 떠넘기고 있을까? 돌봄과 방과후교육의 제자리를 찾아야 할 시기가 왔다. 이제 국가 인프라 및 살림은 충분하며 사회적 합의를 도출할 정도로 국민의 내적 성장도 성숙해졌다.

학교 문은 언제나 열려있다. 포괄적인 의미로서의 학교 교육의 몫이라는 혹은 학교만큼 믿고 맡길 수 있는 가장 듬직한 인적·물적 자원이 없다는 미명(美名)하에 물밀듯이 다양한 정책, 다양한 업무가 밀려온다.

　학교에 하나둘이 밀려오는 것이 아닌 정신을 못 차릴 정도로 밀려오니 방어의 자세는 온데간데없이 자포자기의 심경이 되었다. 청일전쟁이 발발했을 때 초기에는 원인이 어떻고 잘잘못이 어떻고의 논쟁이 있었을지언정 막상 전쟁터의 불길이 치솟은 다음에는 생존(生存)의 문제만이 남을 뿐이다.

　그러므로 밖에서 밀려 들어온 세력(?)인 업무가 이제부터 오롯이 학교의 몫이다. 학교에서 일어나는 일이기에 학부모는 선생님들에게 책임을 묻고, 도가 넘치게 요구하는 일들이 발생한다. 학교라는 공간적 장소에서 행해지고 업무도 선생님이 담당하니 학부모는 당연히 선생님들의 몫이라고 여기는 것이 무리는 아니다.

　엄밀히 따져보지 않더라도 학교 일도, 선생님들 본연의 일도 아닌 것을 맡았다가 온전하고도 당연히 학교의 일, 선생님들의 업무로 고착되곤 한다. 시간이 흐르면서 학교에서 진행하는 것이 당연한 게 되는 것이다. 유휴공간 활용이라는 명목, 학생들에게 접근성이 가장 훌륭하다는 논리, 보육과 방과후교육이 교육과 흡사하다는 억지로 인한 학교로의 책임 전가로 사건·사고는 더 늘어나며, 심각한 사안으로 악성화되는 경우가 흔하다. 그런데도 책임은 학교와 담당 선생님 몫이다.

학교 내에서는 업무를 누가 담당하느냐로 갈등의 도화선이 될 수밖에 없다. 선생님 간 갈등, 교육공무직과의 갈등, 행정실과의 갈등이 따라 올 수밖에 없다. 지금 담당하는 일도 과부하인 경우가 많기도 하고, 학교 본연의 업무도 아닌데 어찌 기꺼운 마음이 들겠는가? 정말 슬프고 안타까운 것은 본래 학교 본연의 업무가 아닌 일로 책임져야 하고, 교직원 간에 갈라치기 문화가 가중된다는 현실이다.

과로로 심신의 병환이 오기도 하고, 엎친 데 덮친 격으로 담당했다는 이유만으로 징계당하기도 한다. 학급의 학생들에게 집중해야 할 열정이 분산되는 것은 어쩔 수 없는 일이다. 주객이 전도되는 것이다.

학부모의 사교육비 경감을 위한 방과후교육에 학교는 시설만 제공한 것이 아니라 운영에 대한 책임을 지고 있다. 사교육을 공교육 기관에서 담당한다는 것이 과연 옳은 이치일까? 물론 학부모의 경제적 부담을 줄여준다는 취지에 동감을 한다.

"손자를 귀여워하면 할아버지 상투 잡는다."

의무교육이 아닌 희망과 선택에 의한 놀이·돌봄 중심의 돌봄교실과 자기 취향에 따라 마음 내키는 대로 선택하는 방과후학교에서 만나는 선생님, 그리고 교실에서 만나는 선생님의 구별이 쉽지 않다. 규칙을 가르치고 훈육과 교육을 함께 하는 선생님에 대한 권위와 존중심에 헷갈릴 수밖에 없다. 학부모도 마찬가지로 헷갈려하며 학교를 존중하지 않는다.

이는 학교 영양교사들이 "이미 자극적인 음식과 외식에 길들여있는 학생들에게 건강을 위한 저염·저당 식단을 제공하면 '급식 만족도'는 하락하고, 이는 곧 '민원'으로 돌아온다. 이와 반대로 학생들이 원하는 음식을 제공하면 교육당국은 급식의 목적에 맞지 않다고 또다시 지적하고 나선다."라며 고충을 호소하는 이치와 같다.

훈육과 생활지도는 학생들에게 건강을 위한 저염·저당 식단 같은 존재임에도 민원의 대상이 된다. 훈육과 생활지도의 비중이 당연히 약해야 할 돌봄과 방과후학교에 비교하면 학생들에게 규칙과 질서를 지키는 불편함이 있는 학교 교육은 이미 자극적인 음식과 외식과도 같은 존재가 될 소지가 다분하다. '방과후'라 하면, 학교 정규 교육과정의 시간이 지난 시간으로 강제성·규칙성보다는 느슨함과 여유로움이 느껴지는 단어이다. 정해진 수업 시간표에 의해 국가 수준에서 정해진 과목을 이수해야 하는 학생들이 선택적으로 또는 수익자부담으로 찾는 교실은 느낌이 다르다.

학생 지도과정에서 보일 수밖에 없는 담임교사의 엄한 모습은 이미 자극적인 음식과 외식에 길들여있는 학생들에게 건강을 위한 저염·저당 식단을 제공하는 것과 같다. 자신들의 요구에 허용적인 '만만해 보였던' 돌봄과 방과후학교 선생님으로 인해 이번에는 담임교사도 만만해 보이는 것이다. 존중·존경 없는 '만만함'으로 올바른 교육은 불가능하다.

지역사회에서의 돌봄, 방과후교육의 활성화로 학생들을 다양한 장소에서 뛰놀게 해야 한다. 학생들도 학교만이 아닌 동네에서 놀게 해야 한다. 그래야 아이들이 행복해지고 밝은 미래가 온다.

Ⅱ. 교육의 방향 설정을 위한 되돌아봄

"모두가 공부 잘하는 국민은 어떤 나라인가?"

사람이 '공부'하는 이유를 '잘 살고 싶어서 한다, 행복하게 살고 싶어서 한다.'라고 단순 명료하게 정의하고자 한다. 잘 먹고 잘사는 기준도 무수히 많지만, 본 저(著)에서는 경제적·정신적인 부분을 '제한적'으로 살피고자 한다.

> -국가별, 개인별 국내총생산(Gross domestic product, GDP)
> -부패 인식 지수(Corruption Perceptions Index, CPI)
> -국제학업성취도평가(Programme for International Student Assessment, PISA), 노벨상 수상자 누적 수(數)
> -행복지수(세계행복보고서, World Happiness Report)
> -성 격차 지수(GGI: Gender Gap Index),
> 유리천장 지수(The glass-ceiling index)

18세기 후반 영국의 산업혁명으로 유럽과 북미의 산업화를 통한 근대화는 우리나라보다 200여 년 먼저 시작되었다. 산업혁명은 사회·경제적으로 취약한 국가들에 대한 침탈이 경쟁적으로 더욱 가속화되었으며 조선 후기의 우리나라도 예외는 아니었다.

그러므로 강제적인 타국의 자본·노동의 유입으로 부를 축적한 상태에서 일찍 출발한 국가보다 외세와 일제강점기 침탈로 인한 극도로 빈약한 자본·자원, 6.25 전쟁 후 폐허가 된 국토, 훨씬 늦은 출발로 우리나라는 앞뒤 살필 여유 없이 갈 길이 매우 바빴다.

교육의 방향을 설정하기 위해 세계의 역사 흐름 속에서 '국민이 잘사는 나라'와 '우리나라'의 상황을 살펴야 하는 이유이다.

1. 부자 나라

국민 개개인이 부자이다.
-국가별 GDP, 국가별 개개인의 GDP-

우리나라 교육의 힘 & 벤치마킹

공부하는 이유로는 보편적으로 의식주 해결을 넘어 더 잘살고 싶은 욕구가 있기 때문이다. 우리나라는 압축된 근대화 국가이다. 자원·자본 부족, 서양의 산업화보다 200여 년 늦은 출발에도 부자 나라가 되고 있다.

@ 유럽의 여러 국가가 산유국 같은 졸부가 아니며 인구수가 많지 않다. 그런데도 개개인이 부자인 이유는 무엇인가?

@ 식민지 제국을 건설하는 데 앞장선 기득권 나라가 아님에도 현재 부자인 이유는 무엇인가?

@ 산업화와 식민지 제국의 힘을 내세운 나라가 지금도 부자 국가인 이유는 무엇인가?

국민 연 개인소득 3만 불, 인구 5천만 명이 넘는 30-50클럽 국가가 7개국이 있다. 미국, 일본, 독일, 영국, 프랑스, 이탈리아의 6개국과 대한민국이다. 우리나라를 제외한 모두가 타국을 식민지로 침탈한 제국주의의 나라이다.

식민지(植民地)는 어떤 국가가 경제적 이익을 얻기 위해 지배하는 나라, 또는 그 지역이다. 오늘날에는 식민지라는 말 대신 해외 영토나 속령 등의 용어가 대신 사용된다.

고대 로마는 본국의 직할 부대를 식민지에 파견하여 식민지를 직접 통치하였다. 파견된 부대의 식량을 공급하기 위해 경작지를 마련하여 이를 colonia (농민을 뜻하는 라틴어 colonus에서 파생된 말)라 불렀다. colonia는 영어 colony의 어원이다.

근대의 식민지는 대항해 시대에 이르러 본격화되었다. 초기 식민지 경쟁은 포르투갈과 에스파냐가 주도하여 서아프리카와 남아메리카에 이들의 식민지가 만들어졌다. 특히 남미의 에스파냐 식민지에서 유입된 막대한 양의 은으로 인해 유럽은 유례없는 인플레이션을 겪을 정도였다.

산업혁명 이후 유럽의 강대국들은 세계 전체를 대상으로 식민지 쟁탈전을 벌였다. 이 시기를 경기에 비유해보자면, 식민지 쟁탈전의 선두 주자는 영국과 프랑스였다. 유럽 강대국들의 식민지 확보 정책은 흔히 제국주의로 표현된다.

(위키백과, https://ko.wikipedia.org/wiki/%EC%8B%9D%EB%AF%BC%EC%A7%80)

해가 지지 않는 나라 등, 제국주의에 대한 용어는 찬사가 주를 이룬다.

"한국은행의 정의에 따르면 GDP는 '한 나라 안에 있는 가계, 기업, 정부 등 모든 경제주체가 한 해 동안 새로이 생산한 재화와 서비스의 가치를 시장가격으로 평가하여 합산한 것이다.

	국가명	GDP ($)	기준년도	대륙	수도
1	미국	22조6752억7100만	2021	북아메리카	워싱턴 D.C.
2	중국	16조6423억1800만	2021	아시아	베이징
3	일본	5조3781억3600만	2021	아시아	도쿄
4	독일	4조3192억8600만	2021	유럽	베를린
5	영국	3조1246억5000만	2021	유럽	런던
6	인도	3조497억400만	2021	아시아	뉴델리
7	프랑스	2조9382억7100만	2021	유럽	파리
8	이탈리아	2조1062억8700만	2021	유럽	로마
9	캐나다	1조8834억8700만	2021	북아메리카	오타와
10	대한민국	1조8067억700만	2021	아시아	서울

<2021년 국가별 GDP 순위>

뉴스 보도에서 주로 이야기하는 지표는 국가별 GDP 지표 순위로 우리 스스로가 잘 사는 나라라고 생각하게 된다. 위의 표, <2021년 국가별 GDP 순위>를 보면, 2021년도 국가별, 중국 2위, 일본 3위, 대한민국 10위로 아시아 3국의 경제지표가 매우 우수하다. 놀랍게도(?) 인도가 세계 6위에 해당한다. 그런데, 국가별 GDP 순위는 인구의 수가 좌우하기에 정확한 지표로 보기에는 무리가 있다. 국가별 GDP를 국민 수로 나누면,

2021년 개인별 GDP 국가순위는 일본 23위, 대한민국 26위, 중국 60위로 하위 순위로 떨어진다. 우리보다 100여 년 넘게 출발하며 우리와 이웃을 침탈한 일본과 어깨를 나란히 하는 것 자체가 기적이다.

	국가명	1인당 GDP ($)		국가명	1인당 GDP ($)
1	룩셈부르크	13만1782	11	스웨덴	5만8977
2	스위스	9만4696	12	네덜란드	5만6003
3	아일랜드	9만4556	13	핀란드	5만4330
4	노르웨이	8만1995	14	오스트리아	5만3859
5	미국	6만8309	15	독일	5만1860
6	덴마크	6만7218	16	벨기에	5만103
7	아이슬란드	6만5273	17	산마리노	4만9765
8	싱가포르	6만4103	18	캐나다	4만9222
9	호주	6만2723	19	이스라엘	4만7602
10	카타르	5만9143	20	뉴질랜드	4만7499

<2021년 개인별 GDP 국가순위>

국가별 GDP에서 세계 10위 안의 국가는 룩셈부르크, 스위스, 아일랜드, 노르웨이 등이 있으며 아시아 국가 중에는 싱가포르가 8위이다. 국가별 GDP 순위 1위 미국, 4위 독일이 개인별 순위에서 미국 5위, 독일 15위에 위치할 뿐이다.

2. 청렴한 나라

윗물과 아랫물이 모두 깨끗해야 맑은 물이다
-국가별 부패인식 지수-

우리나라 교육의 힘 & 벤치마킹

우리나라 공무원의 청렴도는 매우 짧은 기간에 매우 높게 상승했다. 대부분 국가가 윗물이 맑지 않고 바뀌지 않는다. 공부하는 이유는 투명한 사회를 만들기 위함이다. 우리는 원래 투명한 사회, 군자의 나라임을 상기하자.

@ 30-50 클럽의 국가 중에 청렴한 국가 10위 안에 위치한 국가는 독일이 유일하다. 이유는 무엇인가?
@ 국민의 수·자본주의가 청렴과 관계가 있는가, 국민의 수가 적은 국가 중 개개인의 소득이 높은 국가가 대체로 청렴도가 높은가?
@ 어떤 교육이 청렴한 나라를 만들 수 있는가?

부패인식지수(Corruption Perceptions Index·CPI)는 공무원과 정치인이 얼마나 부패했다고 느끼는지 수치화한 것이다. '완전 청렴 100, 매우 청렴 80 이상, 상당히 청렴 60 이상, 상당히 부패 40 이상, 매우 부패 20 이상, 완전 부패 0'으로 구분한다.

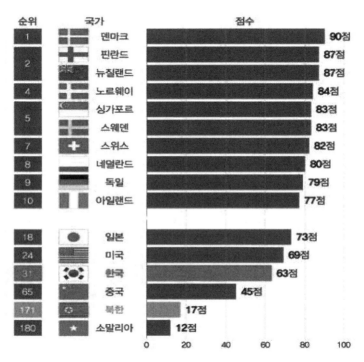

<2022년 국가별 부패인식지수>
(머니투데이, 사진=이지혜 디자인기자)

부패인식지수는 정치적으로 선진국인지 비교하는 기준으로 영국의 이코노미스트가 발표하는 민주주의 지수, 프랑스의 RSF(Reporters Sans frontière)가 발표하는 언론자유지수와 함께 가장 많이 사용된다. 3개의 비정부 국제기구(INGO)가 발표하는 이 지수들은 각각 부패(독일), 민주주의(영국), 언론자유(프랑스)를 담당하고 있다.

국가 청렴도 1위는 덴마크(90점, 매우 청렴), 핀란드·뉴질랜드가 공동 2위(87점, 매우 청렴), 노르웨이가 4위(84점, 매우 청렴), 싱가포르·스웨덴이 공동 5위(83점, 매우 청렴)를 차지했다. 뒤이은 순위에서도 유럽 국가인 네델란드, 독일, 아일랜드가 8, 9, 10위를 차지했다.

18	일본	73	상당히 청렴
18	영국	73	상당히 청렴
21	프랑스	72	상당히 청렴
22	오스트리아	71	상당히 청렴
23	세이셸	70	상당히 청렴
24	미국	69	상당히 청렴
25	부탄	68	상당히 청렴
25	대만	68	상당히 청렴
27	칠레	67	상당히 청렴
27	아랍에미리트	67	상당히 청렴
29	바베이도스	65	상당히 청렴
30	바하마	64	상당히 청렴
31	이스라엘	63	상당히 청렴
31	대한민국	63[8]	상당히 청렴

<2022 국가별 부패인식 지수, 18위~31위>

(나무위키 https://namu.wiki/w/%EB%B6%80%ED%8C%A8%EC%9D%B8%EC%8B%9D%EC%A7%80%EC%89%98)

우리나라는 청탁금지법(일명 김영란법)을 시행한 2016년 52위(53점, 상당히 부패)에서 6년 연속 순위가 올랐다. 2017년 51위, 2018년 45위, 2019년 39위, 2020년 33위, 2021년 31위(63점, 상당히 청렴)를 기록했다. 2018년부터 2022년까지 매년 최고치를 갱신하고 있다.

한국투명성기구는 "한국은 상승추세를 이어가면서 역대 최고점수를 얻었다"라며 "높아진 시민의 인식, 정부를 비롯한 각 경제주체가 노력한 결과로 이해된다"라고 평가했다.

아시아·태평양 국가에서는 뉴질랜드(2위), 싱가포르(5위)에 이어 홍콩(12위), 호주 (13위), 일본 (18위), 대만 (25위) 등이 한국보다 순위가 높았다. 이중 일본 만이 국민의 수가 우리보다 많다. 국민의 인원수가 청렴도에 미치는 영향을 고려해 볼 필요가 있다고 본다.

3. 학업이 우수한 나라

세계는 학력 신장을 위해 힘쓰고 있다
-국제학업성취도평가 & 국가별 노벨상 수상자 현황-

우리나라 교육의 힘 & 벤치마킹

국제학업성취도 평가에서 매우 우수한 평가 결과를 내고 있다. 미국 아이비리그 등의 우등생 비중이 높아지며 유대인이 많이 살고 있는 동네에 우수한 학업능력이 있는 한국인이 이사 오는 걸 꺼린다고 한다.

@ 30-50클럽의 7개국 중에 10위 안에 위치하지 못한 국가는 이탈리아와 대한민국이다. 우리나라는 학업성취도는 매우 높기에 노벨상 수상 가능성이 높은 것일까?

@ 유대인 국가인 이스라엘은 PISA 결과가 OECD 국가중 30위권 내외에 있다. 학업성취도와 노벨상은 상관관계가 없는 것이 아닐까?

@ 유대인의 노벨상 수상자 비율이 공공연히 이야기된다. 그렇다면 유대인과 관련 없다 할 수 있는 일본의 수상자 수는 우리나라에도 시사하는 점이 크지 않은가?

국제학업성취도평가(PISA, Program for International Student Assessment)는 OECE 주관하에 세계 여러 국가의 만 15세 학생을 대상으로 읽기, 수학, 과학 능력을 평가하는 국제 비교 연구 프로그램으로 각국 교육정책 수립의 기초자료를 제공하는 데 사용되는 데이터를 제시한다.

읽기			수학			과학		
국가명	평균	전체 국가순위	국가명	평균	전체 국가순위	국가명	평균	전체 국가순위
B-S-J-Z(중국)'	555	1~2	B-S-J-Z(중국)'	591	1	B-S-J-Z(중국)'	590	1
싱가포르	549	1~2	싱가포르	569	2	싱가포르	551	2
마카오(중국)	525	3~5	마카오(중국)	558	3~4	마카오(중국)	544	3
홍콩(중국)	524	3~7	홍콩(중국)	551	3~4	에스토니아	530	4~5
에스토니아	523	3~7	대만	531	5~7	일본	529	4~6
캐나다	520	4~8	일본	527	5~8	핀란드	522	5~9
핀란드	520	4~9	대한민국	526	5~9	대한민국	519	6~10
아일랜드	518	5~9	에스토니아	523	6~9	캐나다	518	6~10
대한민국	514	6~11	네덜란드	519	7~11	홍콩(중국)	517	6~11
폴란드	512	8~12	폴란드	516	9~13	대만	516	6~11
스웨덴	506	10~19	스위스	515	9~14	폴란드	511	9~14
뉴질랜드	506	10~17	캐나다	512	10~16	뉴질랜드	508	10~15
미국	505	10~20	덴마크	509	11~16	슬로베니아	507	11~16
영국	504	11~20	슬로베니아	509	12~16	영국	505	11~19
일본	504	11~20	벨기에	508	12~18	네덜란드	503	12~21

<PISA 2018 전체 참여국의 영역별 비교>

교육부에서 발표한 <PISA 2018 전체 참여국의 영역별 비교>를 보면, 세 영역 모두 10위 안에 중국, 싱가포르, 마카오, 대한민국, 에스토니아가 위치해 있다. 두 영역에 걸쳐 10위 안에 든 국가는 일본, 핀란드, 홍콩, 대만이다(*중국은 '베이징, 상하이, 장쑤성, 저장성' 지역에 해당되는 점수임). 우리나라는 이번 평가 순위가 읽기 6~11위 (514점), 수학 5~9위(526점), 과학 6~10위(519점)로 나왔다.

우리나라를 제외하고 국제학업성취도 평가에서 30-50클럽의 국가 중 상위 10안에 든 국가는 일본이 유일하며 20위 안에 든 국가는 미국, 영국뿐이다. 반면에 <2022 국가별 노벨상 수상자 현황>을 보면 30-50클럽 중 노벨상이 없는 나라는 대한민국과 이탈리아뿐이다. 노벨상 수여가 시작되었을 때 우리나라는 외세의 침략을 막기에도 급급한 시기였으며 의식주 해결이 우선인 나라였다.

위 통계치에서 발견된 놀라운 사실이 하나 있다. 인터넷 검색을 해도 그 사실에 대한 이야기를 찾아볼 수 없었다. 이스라엘의 국제학업성취도 평가 성적 및 순위에 대한 사실이다. <PISA 2018 영역별 비교>에서 OECD 37개 국가 중 이스라엘은 읽기 영역 25~31위, 수학 영역 32위, 과학 영역 30~33위이다. 전체 참여국가 79개 국에서는 중간 순위에도 눈에 띄지 않는다.

순위	국가 명	노벨상 수상자 누적수
1	미국	403
2	영국	137
3	독일	113
4	프랑스	72
5	스웨덴	33
6	러시아	32
7	일본	29
8	캐나다	28
9	스위스	27
10	오스트리아	23

<2022 국가별 노벨상 수상자 누적 현황>

1901년에 처음 시상한 노벨상은 매년 인류의 발전에 기여한 사람에게 수여되는 상으로 스웨덴 왕립과학원과 아카데미, 카롤린스카 의학연구소, 노르웨이 노벨위원회 등이 심사해 총 6개 분야 수상을 진행한다.

　　<2022년도까지 국가별 노벨상 수상자 누적 현황>을 보면 미국이 403명 수상으로 1위를 차지하고 있다. 유대인이 없는 일본이 29명으로 7위이며 대한민국의 노벨상 수상자는 김대중 전 대통령 1명뿐이다.

4. 행복한 나라

사람은 누구나 행복할 수 있다
-세계행복보고서, 행복지수-

우리나라 교육의 힘 & 벤치마킹

행복을 국가 발전의 한 척도로 삼아야 한다는 아이디어는 히말라야의 작고 가난한 나라 부탄에서 비롯됐다고 한다. 가난하지만 행복한 나라 '부탄' 덕분에 세계행복보고서가 태어났다고 한다. 우리는 헬조선보다는 희망의 대한민국을 꿈꾸는 국민이 많은 나라이다.

@ 행복지수 상위 10위 안의 국가에 북부유럽의 나라가 압도적인 것은 무슨 이유일까?

@ 대한민국의 소득수준은 6.25 전쟁 후보다 300배 이상 높아졌다. 행복도도 함께 향상되었는가?

@ 코로나19 펜더믹이 행복지수 상승에 긍정적인 영향을 미쳤다는 점이 시사하는 것은 무엇일까?

"행복(幸福, happiness)은 희망(希望)을 그리는 상태에서의 좋은 감정으로 심리적인 상태 및 이성적 경지 또는 자신이 원하는 욕구와 욕망이 충족되어 만족하거나 즐거움과 여유로움을 느끼는 상태, 불안감을 느끼지 않고 안심해 하는 것을 의미한다(위키백과). 행복(happiness)에 대한 가장 인기 있는 정의는 '주관적 안녕감(subjective well-being)'이다. 안녕(安寧)이란 평안하다는 의미인데, 즐거움이라기보다는 오히려 특별한 사건이 없는 편안한 상태를 의미한다(네이버 지식백과)."

'세계행복보고서'(World Happiness Report, WHR)는 매년 3월 20일 '세계 행복의 날'에 유엔이 발간하는 세계 각국의 행복 성적표이다. 국가의 행복을 측정하는 자연스러운 방법은 전국적으로 대표되는 표본에게 요즘 자신의 삶에 얼마나 만족하는지 묻는 것이다. 행복의 측정은 갤럽이라는 여론조사 기관에서 수행하는데, 세계 150여 나라 각각 약 1,000명의 사람에게 다음 6가지 변수에 대해 평가하도록 한다.

① 1인당 GDP : 세계은행의 구매력 평가 기준
② 사회적 지원(Social Support) : 문제가 생겼을 때 도움을 줄 수 있는 사람 여부
③ 기대 건강수명 (Healthy Life Expectancy) : 세계보건 기구의 기대수명 기준
④ 인생을 선택할 자유(Freedom to make life choices) : 삶에서 무엇을 할 것인지 선택할 자유에 만족하는지 여부
⑤ 관대함 (Generosity) : 지난 한 달 동안 기부 여부
⑥ 부패에 대한 인식(Perceptions of Corruption)

이 보고서는 주관적 안녕에 관한 연례 설문조사 데이터를 분석해 내놓는 것으로, 조사 직전 3년 치 데이터를 반영해 점수와 순위가 산출된다. 올해 보고서에는 2020~2022년 설문조사 자료가 이용됐다.

<2023 세계행복지수 순위>
(뉴스핌 Newspim, 홍종현 미술기자,cartoooon@newspim.com)

표 <2023 세계행복지수 순위>를 보면 2023년도 세계에서 가장 주관적 행복도가 높은 국가는 6년 연속 1위를 차지한 핀란드(7.804점)인 것으로 밝혀졌다. 2위 덴마크(7.586점), 3위 아이슬란드(7.530점), 연이어 이스라엘(7.473점), 네덜란드(7.403점), 스웨덴(7.395점), 노르웨이(7.315점), 스위스(7.240점), 룩셈부르크(7.228점), 뉴질랜드(7.123점)가 4~10위를 차지했다. 이어 11~20위에는 오스트리아(7.097점), 호주(7.095점), 캐나다(6.961점), 아일랜드(6.911점), 미국(6.894점), 독일(6.892점), 벨기에(6.859점), 체코(6.845점), 영국(6.796점), 리투아니아(6.763점)가 포함됐다.

대한민국은 137개국 중 57위, OECD 38개국 중에서는 35위를 차지했다. 2012년부터 매년 발간된 보고서에서 우리나라는 대체로 평균점 6점 안팎으로 약 150개국 중 40~60위권 대를 오르내리고 있다.

세계행복보고서 2023은 코로나19 팬데믹이 삶의 다양한 측면을 어떻게 변화시켰는지 더 잘 추적하기 위해 각 항목에 2가지 가중치인 긍정적인 감정(웃음, 즐거움, 관심), 부정적인 감정(걱정, 슬픔, 분노)을 추가했다고 한다.

놀랍게도 사회적 거리두기와 봉쇄 조치 등의 어려움이 있었지만 서로 돕고 배려하는 문화와 정신의 확산으로 행복감이 증진되었으며, 즉 코로나19 팬데믹이 인류의 행복도에 부정적인 영향을 미치기보다는 긍정적인 영향을 미쳤다고 분석하였다.

선학평화상재단에 의하면 행복을 국가 발전의 한 척도로 삼아야 한다는 아이디어는 히말라야의 작고 가난한 나라 부탄에서 비롯됐다고 한다. 부탄의 1인당 국내총생산(GDP)은 3,000달러 수준으로 전 세계에서 최하위권이고 평균적인 교육 수준도 매우 낮다. 그런데 이 나라 국민의 행복지수가 한때 세계 1위(2010년 영국 신경제재단 NEF 발표)를 기록하며 국제적으로 큰 주목을 받게 되었다.

현 국왕 '지그메 케사르 남기엘 왕축'은 자신이 집권한 1974년부터 국민의 행복을 경제 성장보다 더 중시하는 '행복 정치'를 통치 철학으로 삼았으며, "부탄 국민의 1인당 소득이 향상된다고 해서 행복이 그만큼 더 커진다고 보장할 수 없다"라며 "국가총생산보다 국가총행복(GNH)이 더 중요하다"라고 강조했다고 한다.

(http://sunhakpeaceprize.org/kr/news/issue.php?code=issue&idx=767&bgu=view)

5. 남녀 차별 없는 나라

남성, 여성의 구별이 없는 사회이다
-성 격차 지수, 유리천장 지수-

우리나라 교육의 힘 & 벤치마킹

우리나라는 모계 공동 통치사회를 시작으로 국가를 형성했다는 이론이 대두되고 있다. 유구한 역사의 흐름에서 부계 통치사회로 변모했다고 한다. 어떤 사회이건 남녀의 화합과 조화 없이 균형 잡힌 문화는 이룩될 수 없다. 대한민국은 그 균형을 찾아갈 나라이다.

@ 한 발로 뛰는 것과 두 발로 뛰는 것의 속도와 힘의 차이는 얼마나 될까?

@ 성격차 지수가 낮은 국가 대부분 국민 수가 많지 않다. 국가별 국민 수가 젠더 격차 지수에 영향을 미치는가?

@ 우리나라, 일본은 언제부터 여성의 사회역할을 극도로 제한하였는가? 그 이유는 무엇인가?

성 격차 지수는 한 나라에서 여성 인권이 남성 인권과 얼마나 차이가 있는지를 측정하는 상대평가로 2006년부터 세계경제포럼(WEF)에서 매년 전 세계 100여 국의 국가별 성 격차를 수치화해 발표하는 지수이다.

세부 평가 4가지 기준은 경제적 참여 및 기회, 교육적 성취, 보건 및 생존, 정치적 권한 부여이다.

주의할 점은 이 지수는 한 국가 내에서 남녀 격차만을 상대평가 하기에 한 국가의 전반적인 여성의 지위와 수준이 높더라도 남성에 비해 떨어진다면 점수와 순위는 낮아지게 된다. 성 격차 지수는 비슷한 경제 수준을 가진 국가끼리의 비교에는 유용하지만 선진국, 개도국, 최빈국이 뒤섞여있는 전 세계의 성평등 정도를 점수로 줄 세워 평가하기에는 무리가 있으니 유의해서 살펴봐야 한다.

세계경제포럼(WEF)이 내놓은 '2023년 세계 젠더 격차 보고서(Global Gender Gap Report 2023)'를 보면 한국의 젠더 격차 지수는 0.680을 기록, 전체 146개 국가 중 105위를 기록했다. 지난해보다 지수가 0.010 떨어지며 99위에서 6계단 하락한 것이다. 젠더 격차 지수는 1에 가까울수록 양성평등이 잘 이뤄져 있다는 의미다.

한국은 올해 경제 참여·기회 부문(0.597)에서 114위, 교육 성취 부문(0.977)에서 104위에 머물렀다. 보건 부문(0.976)은 46위, 정치권력 분배(0.169) 부문에선 88위였다. 정치권력 분배 부문에서 '의회 여성 비율'은 0.304를 기록, 84위에 그쳤다. 세계경제포럼(WEF)은 "피지와 미얀마, 한국 등은 정치권력 분배 부문에서 가장 퇴보한 국가들"이라고 지적했다.(http://sunhakpeaceprize.org/kr/news/issue.php? code=issue&idx=743&bgu=view, 선학평화상재단)

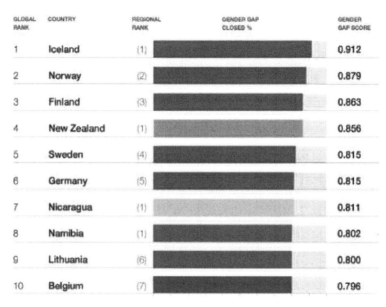

<2023 성 격차 지수>

2023 성 격차 지수 10위까지의 순위를 살펴보면 1위는 지난해와 마찬가지로 아이슬란드(0.912)가 차지했다. 뒤이어 노르웨이(0.879), 핀란드(0.863), 뉴질랜드(0.856), 스웨덴(0.815) 순으로 북유럽 국가가 최상위권에 다수 포진했다.

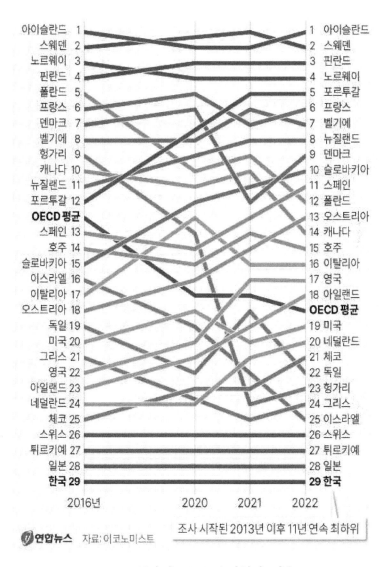

| 2016년 | | 2020 | 2021 | 2022 |

아이슬란드 1	1 아이슬란드
스웨덴 2	2 스웨덴
노르웨이 3	3 핀란드
핀란드 4	4 노르웨이
폴란드 5	5 포르투갈
프랑스 6	6 프랑스
덴마크 7	7 벨기에
벨기에 8	8 뉴질랜드
헝가리 9	9 덴마크
캐나다 10	10 슬로바키아
뉴질랜드 11	11 스페인
포르투갈 12	12 폴란드
OECD 평균	13 오스트리아
스페인 13	14 캐나다
호주 14	15 호주
슬로바키아 15	16 이탈리아
이스라엘 16	17 영국
이탈리아 17	18 아일랜드
오스트리아 18	OECD 평균
독일 19	19 미국
미국 20	20 네덜란드
그리스 21	21 체코
영국 22	22 독일
아일랜드 23	23 헝가리
네덜란드 24	24 그리스
체코 25	25 이스라엘
스위스 26	26 스위스
튀르키예 27	27 튀르키예
일본 28	28 일본
한국 29	29 한국

연합뉴스 자료: 이코노미스트   조사 시작된 2013년 이후 11년 연속 최하위

<OECD 국가의 2023 유리천장 지수>

(연합뉴스)

유리천장 지수(The glass-ceiling index)는 남녀 고등교육 격차, 소득격차, 여성의 노동 참여율, 고위직 여성 비율, 육아비용, 남녀 육아휴직 현황 등등 여성의 노동환경을 종합적으로 평가한 세부 지표를 종합해 매년 발표한다.

OECD 국가의 2023 유리천장 지수 상위 1~4위 국가로는 스웨덴, 아이슬란드, 핀란드, 노르웨이가 꼽힌 반면, 하위 26~29위 국가에는 스위스, 튀르키에(터키), 일본, 한국이 자리했다. 하위 4개 나라의 순위는 모두 10년째 같은 자리다. 우리나라는 세부 지표 중 ′성별 간 임금 격차′에 따르면 2021년 기준 26년 동안 1위를 차지했다.

Ⅲ. 교육의 나아감

"나아감의 의미는 더 좋아짐 & 미래를 지향하는 교육이다"
"학교는 학교다워야, 그리고 교육은 선생님이"

"외국 유학을 다녀온 학자(學者) 중 본인이 다녀온 나라에 대한 정치·경제·사회·문화에 대한 완벽한(?) 분석과 더불어 우리나라를 마치 헬조선처럼 저평가하며 그 나라 교육을 맹목적으로 예찬한다. 우리의 역사 그리고 수십 년의 삶을 살아온 자신의 조국도 제대로 모르면서 단지 수년간의 유학 생활로 마치 다 아는 거처럼 이야기하는 오류를 범한다."

Ⅱ(교육의 방향 설정을 위한 되돌아봄)에서 고찰했듯이 우리는 선진국에 비해 200여 년 늦은 출발과 모든 면에서 불리한 입장임에도 30여 년 만인 1990년대에 유수의 국가들과 경쟁할 수 있는 근대 국가로 발돋움하였다. 2023년도에 이르러서는 **'여성 관련 지표'**를 제외한 여러 지표에서 선진국과 어깨를 나란히 견줄 수 있는 정도에 도달했다.

압축된 근대화는 필연적으로 물질적·정신적 성장의 부조화를 가져올 수밖에 없었지만, 우리가 실천해온 방법을 폄하하며 위대한 성과를 저버려서는 안 된다. 우리나라의 강점을 되새기며 조화로운 성장을 위한 교육정책을 펼쳐야 할 것이다.

가난한 시절, 모든 국민이 허리띠 졸라매며 달렸기에 학교도, 선생님도 앞장서서 동참했다. 이제는 **'양성이 함께'** 의무교육을 넘어 **'다양성'** 있는 **'창의적'** 인재 육성이 필요한 시기가 왔다. 선생님들에게 학교 운영 주도권의 바통을 넘겨야 할 때이다.

1-(1) 상호존중·양성평등이 나아감의 출발점이다

우리 민족의 DNA 회복 & 나아감
-우리는 본래 남녀평등을 뛰어넘는,
남녀 구별이 없는 상호존중의 사회였다-

남녀 구별이 없는 상호존중 사회

"성 격차 지수, 146개국 중 105위"
"유리천장 지수, OECD 29개국 중 10년째 29위"

"우리는 본래(本來)
남녀평등을 뛰어넘는
남녀 구별이 없는 상호존중의 사회였다."

중국과 일본, 그리고 우리 손에 의해 철저히 왜곡되고 훼손된 역사로 정확히 알 수는 없지만, 현존(現存)한 문헌에 의하면 고려시대 여성은 족보에서도 남녀 차별이 없었던 나라요, 상속에서도 남성과 동등한 대우를 받았던 국가이다. 많은 민족과 국가가 남성 우월의 사회였던 시기에도 우리나라는 여성이 존중받던 사회였다.

아사달역사문화연구원 우창수 원장에 의하면 우리나라는 고대부터 '모계 공동통치 사회'를 통해 국가를 형성해왔다고 하며 여성과 남성의 구별 없는 존중의 사회였다고 논거(論據)를 들어서 주장하고 있다.

1-(2) 상호존중·양성평등이 나아감의 출발점이다

Why, 상호존중·양성평등인가?
-모두가 희망과 행복이 있는 나라-

모두가 희망과 행복이 있는 나라

"교육은 인간사회의 조화로움을 위해 그리고
사람답게 살 수 있도록 도움을 주는 행위이다"
"양성평등은 '상호존중'의 근본이며 경력 단절,
임금 격차, 승진의 불리함 등이 없는 사회에서
부모가 함께하는 자녀 교육을 가능하게 한다."

△근본적인 평등·상호존중이 없는 출발은 돌이킬
수 없는 문제점을 키운다.
△외발로 뛰는 사회보다 두 발로 뛰는 사회가
더욱 힘차고 건강한 사회이다.
△남성, 여성 구별이 없어야 획일성을 벗어나
상호존중의 다양성 있는 사회로 갈 수 있다.
△유보통합, 돌봄교실(늘봄학교), 방과후학교는
양성평등·상호존중의 미봉책에 불과하다.
△교육자 중에 압도적인 비율이 여성이다.
양성평등·상호존중 사회가 곧 교육의 미래이다.

♣갈라치기를 업(業)으로 삼는 편협한 자(者)들을 위해서 본 저자(著者)의 논지는 "남자와 여자를 갈라치기 하며 남자들의 노력과 헌신을 절대 낮추고자 함이 아님을 강조한다."

"올림픽 100미터 결승 경기 출발선에 기이한 풍경이 연출되고 있다. 7명의 선수를 살펴보니 잘사는 나라 30-50클럽에 속하는 미국, 영국, 프랑스, 이탈리아, 독일, 일본, 마지막 1명은 대한민국 선수이다. 대한민국 선수가 올림픽 100미터 경기 결승에 진출한 것은 처음이다. 올림픽 본선 대회에도 오르지 못했던 대한민국이 64강, 32강, 16강을 지나 결승까지 올라왔다. 아니 그런데 한국 선수의 한쪽 다리가 없는 것이다. 두 발로 뛰어도 오르기 힘든 결승 경기에 외발로 어떻게 결승까지 왔는가? 세상에 이런 일이 있을 수 있는가?"

위의 이야기는 외발로 뛴 우리나라의 핸디캡을 풍자적으로 표현하였다. 우리는 고려시대 이후 조선시대부터 600년 남짓 외발로 뛰었다. 여성 차별이 시작되면서 외발만의 동력으로 힘겹게 국가를 운영하여 격랑의 거친 파도 같은 수난 시대를 겪어왔다.

외발로 뛴 대가는 혹독했다. 산업화와 약육강식의 논리를 앞세운 서양의 침탈을 받았고 경쟁상대로 보지 않던 왜(倭)에 의해 조선시대 내내 노략질과 두 차례의 왜란으로 괴롭힘을 당하였다. 결국 1905년 을사늑약의 외교권 박탈을 시작으로 '죽는 한이 있어도 성씨는 안 바꾼다'라는 우리가 창씨개명(創氏改名)의 수난을 포함하여 유사 이래 최고의 악랄함에 극치를 이루는 침탈을 겪었다.

외발로 뛰는 것과 두 발로 뛰는 차이를 경험해 본 사람은 안다. 달리기가 빠른 어른도 만약에 초등학생과 달리기 시합을 할 때 외발로 뛴다면 어린 학생이라도 이기기 힘들다. 어린 시절 오징어 게임을 해본 사람은 더 잘 안다. 깽깽이인 외발로 뛰는 사람과 두 발로 뛰는 사람이 맞붙어 싸우면 두 발로 뛰는 사람이 이길 확률이 매우 높다. 아래에서 보듯이 <1(외발)과 2(두 발)의 차이>는 두 배가 아닌 무한대의 차이가 발생한다.

$$1^2 = 1 \times 1 = 1$$
$$1^3 = 1 \times 1 \times 1 = 1$$
$$1^4 = 1 \times 1 \times 1 \times 1 = 1$$
$$1^5 = 1 \times 1 \times 1 \times 1 \times 1 = 1$$
$$\vdots$$
$$외발로\ 뛰면,\ 1^n = 1 \times 1 \times 1 \dots \dots \dots \times 1 = 1$$

$$2^2 = 2 \times 2 = 4$$
$$2^3 = 2 \times 2 \times 2 = 8$$
$$2^4 = 2 \times 2 \times 2 \times 2 = 16$$
$$2^5 = 2 \times 2 \times 2 \times 2 \times 2 = 32$$
$$\vdots$$
$$남녀가\ 함께\ 뛰면,\ 2^n = 2 \times 2 \times 2 \dots \dots \dots \times 2 = \infty$$

<1(외발)과 2(두 발)의 차이>

조선시대에 들어서 여성들은 사회에서 강제적으로 밀려났다. 그때부터 우리나라는 한 발로 뛰는 '우매'한 선택을 한 것이다.

세상의 절반은 여자라는 것, 그리고 우리 민족의 여성들은 고대 시대부터 존중받으며 남성과 함께 문명사회를 주도했던 사실을 유학자, 성리학자들은 철저히 도외시했다. 다양성의 절반이 무너진 것이 아니라 그 이상이다. 두 발로 걷다가 한 발로 걷는 건 절반의 속도 이상으로 급감해지는 이치와 같다. 외발로 뛰는 거는 그 발마저 균형을 잃고 과부하가 걸려 손상이 온다. 남성만의 사회는 필연적으로 불균형의 수많은 병폐를 낳았다.

외발로 뛰는 남자를 보이지 않는 손으로 도와준 여성이 있었기에 지금의 대한민국이 되었다. 6.25 전쟁 이후 우리가 지금까지 이룬 성과는 남성들만의 트로피가 아니다. 남자와 여자를 갈라치기 하며 남자들의 노력과 헌신을 절대 낮추고자 함이 아니다. 여성들은 존중받지 못하는 사회 분위기에서, 격심한 차별에서도 가족을 지키며 자녀 교육에 온 힘을 기울였다. 여성들은 보이지 않는 곳에서 남자들이 늦은 출발로 세계와 경쟁하며 힘겹게 한쪽 발로 달리는 대한민국을 지탱한 것이다.

형제들의 교육을 위해 쪽방촌에서 먹을 거 입을 거 아껴가며 잠도 못 자고 하루 18시간 이상 일을 했다. 독일에 간호사로 건너가 몸집 큰 거구의 외국인들을 이리저리 굴리며 간호하느라 성한 허리가 없을 정도로 병(病)들어 가면서도 집에 돈을 송금했다. 그곳에서 벌어들인 외화가 한국경제의 피가 되었다. 남편을 전쟁으로 잃고도 혼자의 힘으로 자식들을 대학까지 보내는 억척 여성은 전 세계에서 찾아볼 수 없다.

여성의 목소리가 정상적으로 울려 퍼져야 한다. 남녀평등의 본래 사회로 되돌아가야 한다. 그래야 교육이 바로 서고 학교가 학교다워질 수 있다. 근본적인 원인이 치유되어야 몸이 건강한 이치와 같다. 불평등은 생각·철학 없는 사회의 원인이다.

2-(1) 학교는 학교다워야 한다.

'학교폭력'이 아닌 '친구사랑'이 되어야 한다.
-학교는 경찰서·검찰청·교도소·법원이 아니다-

"학교로부터 "부모님, '학교폭력대책자치위원회'에 출석하세요"라는 소식을 접했을 때와 "부모님, '친구사랑키움위원회'에 출석하세요"라는 소식을 접했을 때는 하늘과 땅 차이이다. 이성·지성이 있는 우리는 언제나 따뜻한 단어를 선택할 수 있다."

편도체 안정화와 전전두피질의 활성화로 행복한 삶을 살기 위해 '내면소통'의 저자 김주환 교수는 '용서·연민·사랑·수용·감사·존중'의 여섯 단어로 자아를 '스토리텔링'하기를 권했다. 인간의 삶에서 이루어지는 경험자아, 기억자아, 배경자아는 '언어'를 통해 내면소통이 이루어진다. 특히 태교(胎敎)에서 좋은 말이 필요하듯이 성장하는 학생에게 따뜻한 언어는 절대적으로 중요하다.

학교폭력예방 및 대책에 관한 법률이 제정되면서 학교는 따뜻한 언어가 아닌 '무서운' 언어가 주인이 된 곳으로 '무서운' 속도로 변했다. 학교는 경찰서·검찰청·교도소·법원(*본 저(著)에서 4기관을 반복하는 것은 학교를 위기에서 구하기 위한 절심함이다)이 아니다.

학교는 '폭력'의 단어가 넘친다. 학교폭력예방 및 대책에 관한 법률, 학교폭력전담기구, 학교폭력사안조사, 학교폭력대책자치위원회, 학교폭력예방교육, 학교폭력가해학생, 학교폭력피해학생, 학교폭력매뉴얼, 폭력, 폭력, 폭력..... '학교폭력'이라는 단어도 부족해 이제는 **'아동학대'**라는 용어가 넘실거린다. 자녀가 부모님을,

학생과 부모가 선생님을 아동학대로 신고하는 세상이 되었다. 아동학대를 가장 염려하고 걱정하는 사람이 선생님임에도 말이다.

글을 쓰고 있는 성인인 저자(著者)의 가슴이 옥죄는 느낌이 든다. 우리가 만든 법으로 학교폭력, 아동학대를 예방하여 학생을 보호한답시고 학생들에게 우리는 무차별 '언어폭력'을 행사하고 있다.

학교폭력예방 및 대책에 관한 법률에서 **"학교폭력(學校暴力)"** **이란 학교 내외에서 학생을 대상으로"**라고 규정함으로써 24시간, 1년 365일, 유·초·중·고 학창 시절 내내 학생들의 모든 행위와 사고는 '폭력'이라는 단어에 세뇌·매몰되게 했다. 경찰서·검찰청· 교도소·법원보다도 더 많이 사용될 것이다. 자유롭게 미래를 꿈꿔야 하는 학생들과 자식을 잘 키우고 싶은 부모를 움츠러들게 한 것이다.

학교폭력 가해 학생은 학생이 아닌 범죄자, 전과자가 되는 것과 같아졌다. 부모가 학교폭력에 민감할 수밖에 없는 이유이다. 자식을 범죄자로 만들 수 없기에 자녀의 잘못이 명약관화함에도 변호사를 선임한다든지 수단과 방법을 가리지 않고 몰염치한 행위도 서슴없이 자녀를 변론하게 된다. 가해 학생으로 판명이 나는 순간 범죄자의 탈을 쓰지 않기 위한 최후의 방법으로 선생님을 물고(?) 늘어진다. 학교폭력 피해 학생 부모도 **'학교폭력 범죄자'** 로부터 자녀를 지켜야 한다는 불안감 때문에 '학교폭력'에 더욱 예민하게 반응한다. 졸업한 지 10년이 넘어도 밝혀지는 스포츠 스타의 학폭 기사는 학교폭력 가해자가 됨이 얼마나 무서운 세상인지 늘 상기시키기에 낙인찍히지 않기 위한 학부모의 심정, 그 중심에서 선생님이 고통받는다는 걸 국가는 알아야 할 것이다.

"부모님, '학교폭력대책자치위원회'에 출석하세요"라는 소식을 접했을 때와 "부모님, '친구사랑키움위원회'에 출석하세요"라는 소식을 접했을 때는 하늘과 땅 차이이다.

"선생님이 나만 혼내, 나만 미워해~~"라는 응석과 푸념에서, "선생님이 내 이름을 크게 부르며 소리 질렀어, 그거 아동학대 아냐?", "선생님이 제게 지금 하시는 거, 아동학대 아닌가요?"

'친구사랑'이라는 용어는 자녀가 친구에 대해 어떤 배려를 부족하게 했나? 하면서 '자녀 지도'를 떠올리지만, '학교폭력'이라는 용어는 '내 자식만 잘못했나, 한 번 싸워보자!!'라며 '대치·대항'의 방법을 떠올릴 것이다. '아동학대'라는 말은 선생님을 고소·고발의 대상으로 만든다.

학생이 '폭력 행위'를 저지를 때 따끔하게 그에 상응하는 벌을 처분하여 교육적으로 이끌고자 하는 것이 '학교폭력예방 및 대책에 관한 법률'의 취지이다. 결코 학생을 범죄자의 낙인을 찍고자 만든 법은 아니다. '아동학대' 관련 법은 아동을 사각지대에서 구조하고자 함이다.

지금과 같이 똑같은 벌을 주더라도 바라보는 시각, 접근 방법, 사용하는 용어를 학교다운 용어, 학생 성장에 적합한 용어로 고쳐야 한다. 따뜻한 용어는 학교를, 학생을 따뜻하게 한다.

2-(2) 학교는 학교다워야 한다.

학교는 학생을 1에서 2로 성장시키는 곳이다
-훈육, 교과지도·생활지도는 1에서 2로의 성장을 돕는다-

"최면술로 유명한 김영국 박사가 상대방한테 최면을 걸 때 쓰는 비공식 용어로, '레드썬' 하면 내담자는 순식간에 체면 상태로 변한다. 학교는 '레드썬'을 해도 '보육(돌봄)·(방과후)사교육'에서 훈육·공교육으로 변하지 않는다"

동일법의 적용으로 사회질서를 유지하므로 법원에 '경찰서·검찰청·교도소'가 함께 운영되며 '법원'이 운영의 주체뿐 아니라 책임까지 진다면 '법원'의 설립 목적이 유지될 수 없다. '레드썬'이 될 수 없기 때문이다. 학교도 같은 입장이다.

학교의 주요 활동으로 품성·도덕 따위를 기르는 '훈육'이 밑받침된 상태에서 '교과지도·생활지도' 두 가지로 나뉜다. '교과지도'는 주로 학생들의 인지적이고 기능적인 측면에서의 발달을 추구하는 데 중점을 둔다면, '생활지도'는 학생들의 정서적이고 인성적인 발달을 토대로 학교와 가정, 지역사회에 적응할 수 있도록 도와주는 교육 활동이다. 두 활동은 분리될 수 없어 교과지도 중에도 생활지도가, 생활지도 중에도 부지불식간에 교과지도가 함께 이루어진다.

학생은 집·보육(돌봄)시설·사설학원보다 학교가 불편한 점이 많다. 학교는 '훈육'이 근간이 되어 정해진 규칙이 있고 많은 속에서 교과지도가 이루어진다. 학급 및 학년이 섞인 복잡다단한 친구·선생님 등 다양한 구성원과 제한된 공간에서 생활하기 때문이다. 그런데, 왜 국가는 막대한 예산을 사용하며 학교 교육을 하는 것일까? 부모는 학교에서 자녀가 불편함을 느끼며 동료들과 부대끼며 각종 사건 사고(?)가 발생하는 데 왜 보내는 걸까?

인간은 사회적 동물로 혼자서는 살아갈 수 없는 존재이다. 학교의 존재 이유는 인지적 영역의 습득과 더불어 다른 사람과 살아갈 수 있는 존재로 성장시키는 곳이다.

인간은 태어나는 순간부터 1(하나)로서 존재할 수 없을뿐더러, 성장하면서 더더욱 2(둘)가 필요한 존재이다. 가족과 가정이라는 씨(氏)족 단위에서도 2(둘)가 존재할 수 있다. 나와 다른 너인, 아버지 어머니 혹은 할머니, 할아버지 또는 형제들이 함께 산다. 보통 그들은 나의 생활에 '위협적인 존재'가 아닌 나와 공동의 생활을 이뤄가기에 나를 보호할지언정 나를 해치지는 않을 것이다. 그래서 가족과 가정은 또 다른 표현의 1(하나)일뿐이다.

> **"학교의 존재 이유는 국영수 1등급, 서열화의 경쟁이 아닌 1을 2로 만들어주는 곳이다."**

곱하기를 처음 배운 초등학생이 1을 10번, 100번 곱해도 1, 수학계의 노벨상인 필즈상 수상자 허준이 교수가 1을 무한반복으로 곱하기해도 1(하나)이다. 1^n은 1의 n 승(乘) 혹은 1의 n 제곱으로 하나(1)가 하나(1)로 머무를 수밖에 없다.

세상은 나 혼자 살 수 없다. 인간은 홀로 독(獨)인 하나로 존재할 수 없다. 혼자만으로는 집을 지을 수도, 다리를 세울 수도, 승용차를 만들 수도, 이야기를 나눌 수도, 심지어는 누군가를 흉볼 수도 없다. '학교의 존재 이유'는 1을 2로 만들어 주는 곳이다.

그리고 확대해 나갈 수 있도록 미리 연습시키는 곳이다.

$$1^2=1\times1=1$$
$$1^3=1\times1\times1=1$$
$$1^4=1\times1\times1\times1=1$$
$$1^5=1\times1\times1\times1\times1=1$$
$$\vdots$$

집에서는, $1^n=1\times1\times1.....................\times1=1$

$$2^2=2\times2=4$$
$$2^3=2\times2\times2=8$$
$$2^4=2\times2\times2\times2=16$$
$$2^5=2\times2\times2\times2\times2=32$$
$$\vdots$$

학교에서는, $2^n=2\times2\times2.....................\times2=\infty$

'나+너, 남+여, 다름+다름'에서 1에서 2가 될 수 있음을 느끼고 배우며, 더 나아가 '직업+직업, 지역+지역, 국가+국가, 민족+민족, 인종+인종, 대륙+대륙'으로 1에서 2가 될 수 있음을 확대해 나가는 곳, 그곳이 학교이다.

학교와 선생님은 학생이 1이 2가 되도록 도와준다. 학생이 홀로 독(獨)인 1에서 2가 되었을 때, 문명의 이기(利器)가 더 폭넓은 삶으로 안내하는 데 도움이 될 것이다. 승용차, 텔레비전, 컴퓨터, 스마트폰을 넘어서 자율자동차, Chat GPT, AI 인공지능, Big Data 등의 레버리지(Leverage, 지렛대)효과로 긍정적인 방향의 빅뱅을 이룰 것이다.

2-(3) 학교는 학교다워야 한다.

선생님은 징벌 대상이 아닌, 사회의 지도자다
-훈육, 교과지도·생활지도는 1에서 2로의 성장을 돕는다-

"대한민국 국회의원의 '면책특권'은 국회의원이 '국회 내'에서 직무상 행한 발언과 표결에 관하여 국회 밖에서 민사상·형사상의 책임을 지지 않는다."

국민을 대표한 '국회의원'이 자유롭게 자기 소신을 발언하고 또 양심에 따라서 표현할 수 있도록 특권을 부여한 것으로, 이는 '특권'이라기 보다 우리나라를 올바른 방향으로 선도(先導) 내지 선도(善導)할 수 있는 '노블레스 오블리주(noblesse oblige'로 일반인보다 무거운 '도덕적 의무'를 부여한 것이다.

'공교육 멈춤의 날(2023.9.4.)'에 교육부가 보여준 징계의 칼날, 선생님을 아동학대처벌법 범법자로 세운 입법기관, 1년 365일 내내 '학교만이 아닌 지구 전 범위'인, '학교 내외에서' 학생 간 발생 되는 모든 폭력의 책임으로 선생님을 징계로 징벌하려 한다. 국민이 선출한 국회의원보다도 과도한 책임과 끔찍한 처벌의 대상으로 삼는 건 '생각 없는 사회', 대한민국의 미래 지도자를 교육하는 선생님을 '범죄자로 몰아세우는 사회'이다.

20대 초반 약관(弱冠)의 나이 혹은 다른 직업에서 선생님이 되는 순간, '도덕적 의무', '스승의 꿈'이 몸과 마음에 가득 찬다. 대학교에서 지도하였다기보다도 우리나라 사람들 마음에 담긴 오랜 관습이요 문화다. 그러기에 학교는 갓 발령받은 후배를

30년 넘은 교직 선배도 선생님으로 칭하며 존중한다. 그런 존중은 경력이 짧은 선생님에게 무언의 '도덕적 의무'를 암시하는 의미일 수도 있다.

도덕적 의무로 사회에서 존경받는 위치이기에 PD수첩과 언론에서 극소수 선생님의 촌지·체벌·사회규범 위반에도 뭇매를 때린 사례, 나이 지긋한 할아버지가 손자·손녀뻘의 선생님에게 고개 숙여 절을 하는 문화를 보면 알 수 있다. 학생을 교육하는 선생님으로서 촌지 근절, 청렴한 교직은 완성된 지 오래전이다. 50만여 명의 선생님들은 지도자의 덕목 중 가장 중요한 덕목인 청렴을 갖춘 우리나라의 대표적인 '청렴한 지도자' 집단이다.

'면책특권', '기득권' 등의 위치보다 더 까다롭고 높은 조건을 요구받지만, 부끄러운 작은 행동에도 스스로 교직을 떠나는 사람이 바로, 선생님들이다. '꿈과 끼'로 희망을 품어야 하는 학생을 학교폭력으로 옭아매는 사회도 무섭지만, 자재율(自在律)로 스스로 엄격히 관리하는 선생님을 징벌로 겁박하는 사회는 더욱 무섭다. 법을 좋아하는 사회이기에 '면책특권' 제정은 어떨까?

"대한민국 선생님의 '도덕적·법적 책무'는 선생님이 '학교 내'에서 직무상·학생 지도과정 상의 행위에 관하여 학교 밖에서 민·형사상의 책임을 지지 않는다."

아동학대·학교폭력에 대한 책임을 선생님들에게만 지우며 나머지 지도자들은 뒤로 쏙 빠지려는 사회에 필요한 법 조항인 듯하다. 선생님은 징벌의 대상이 아닌, 미래를 이끄는 동반자적 지도자이자 사유할 수 있는 지성인이라는 사실을 상기해야 한다.

3-(1) 교육은 선생님이 주도해야 한다

선생님이 공부의 뜻·목적을 사유해야 한다
-왜, 유대인을 벤치마킹해야 하는가?-

"모두가 천재, 모두가 공부 잘하는 사람",
"좋아하는 거, 잘하는 거 친구마다 다르다."

"이스라엘은 국제학업성취도 평가 OECD 37개 국가 중 30위
내외, 유대인은 공부의 뜻을 가장 잘 아는 민족이다"

중동의 화약고의 중심에 있는 유대인 민족은 1,000만 명 미만의 인구수 이스라엘에 국한하지 않고 전 세계, 특히 세계 최강국 미국에서 정치·경제·사회·문화 전 분야에서 강력한 영향력을 발휘하고 있다.

통계에 따르면 유대인의 기준을 판단하는 데는 다소 논란이 있지만(*유대교로 개종하는 순간 민족이나 혈통 같은 건 무시하고 '우리는 한 조상을 모시는 가족'이라는 개념으로써 받아들여 준다고 하며 어머니가 유대인이면 그 자식은 유대인으로 인정이 된다.-나무위키-) 1901년 노벨상이 제정된 후 2015년까지 노벨상을 수상한 총 1,082명 중 약 30%가 유대인이다.

신성욱 교수는 기독교 일간지 신문 '기독일보'에서 노벨상의 1/3 수상, 노벨 경제학상의 1/2 수상, 아이비리그 학생의 30%, 재직 교수의 55%, <포춘> 선정 100대 기업의 40%를 소유,

뉴욕과 워싱턴의 유명 로펌 변호사 중 40%, JP모건체이스와 메릴린치, 골드만삭스 등 미국 월가를 움직이는 대형 투자은행 및 증권회사 설립자들, 파라마운트, 워너, 폭스, MGM, 컬럼비아, 유니버설 등 미국 메이저 영화 회사 설립자들, AP와 로이터, AFP, <뉴욕타임스>, <월스트리트 저널>, NBC, ABC, CBS 등 거대 언론과 방송사 설립자들, CNN의 창업자 등이 유대인이라고 하였다.(https://www.christiandaily.co.kr/news/93928#share)

유대인의 놀라운 약진의 힘에 대해 의견이 분분하다. 대표적인 것이 '질문하는 민족', '저녁을 같이 먹는 민족', '탈무드', '하브루타식 교육' 등으로 귀결되는 경우가 흔하다. 혹자는 우수한 두뇌를 원인으로, 혹자는 고난을 이겨낸 역경지수에 의해서라고 이야기한다. 필자가 겸손치 못하다는 소리를 듣더라도 절대 동의할 수 없다.

우수한 두뇌 판단 기준으로 다양한 분야가 필요하지만 대체로 IQ를 본다면, 대한민국이 평균 105로 세계 최고이지만 유대인의 국가 이스라엘은 평균 94로 중간 순위 정도의 지능지수이다. 또한 이스라엘의 국제학업성취도 평가 성적 및 순위는 놀랍게도 OECD 37개 국가 중 읽기 25~31위, 수학 32위, 과학 영역 30~33위이다.

유대인들은 어렸을 때부터 모두가 천재라는 소리를 듣고 자란다. 천재(天才)는 태어날 때부터 하늘이 준 재능이다. 영어로는 Genius 혹은 A gifted child로 후자를 해석한 것으로 보인다. 인간은 누구나 저마다의 재능이 있기 마련이다. 자녀들을 모두 천재라고 표현한 것은 그런 의미이다.

"너는 그림 잘 그리는 천재, 너는 친구들을 잘 웃기는 천재, 너는 달리기 잘하는 천재, 너는 상상력이 풍부한 천재, 너는 낙천성이 높고 긍정적인 천재......" 어렸을 때부터 자녀를 천재라고 끊임없이 불러준다. 식사를 같이하면서 자녀와 이야기를 나누며 자녀의 질문에 대답해 주며 토론을 이어가니 질문하는 습관이 형성된다. 자녀들은 성장하면서 '너는'이 '나는'으로 체화(體化)된다.

자신의 재능을 찾아서 그 재능을 넓혀가는 확장성이 자신의 진로(進路)가 되는 것이다. 1,600만 명에 불과한 이스라엘이 나스닥에 상장하는 회사가 상위권에 이름을 올리는 것은 이유가 있다. 유대인이 학문적 성과로 노벨상을 많이 받는 이유는 누구나 학문에 매달리지 않고, 학문을 하고 싶은 사람이 내재적 동기(動機)에 의해 연구하기에 그 분야에서 독보적인 연구 실적을 이루는 것이다.

그리고 유대인은 13살에 성인식을 한다. 이른 나이에 성인으로서의 대우와 책임이 따르기에 그들은 생각하는 힘이 길러지는 거다.

"모두가 천재, 모두가 공부 잘하는 사람",

"좋아하는 거, 잘하는 거 친구마다 다르다."

우리가 반드시 벤치마킹 해야하는 부분이다. 전 세계가 학력에 올인할 때 유대인은 자아존중감을 키우는 데 온 힘을 기울인다.

3-(2) 교육은 선생님이 주도해야 한다

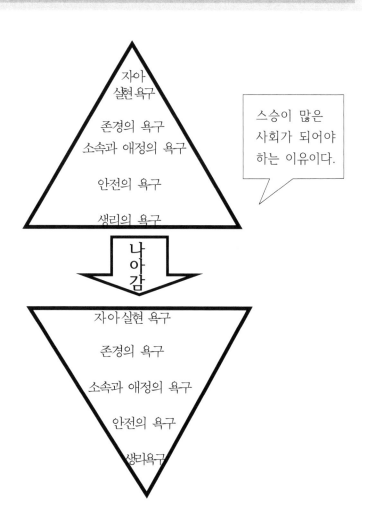

본 저(著)의 앞부분에 전술(前述)한 내용이다.

"조선시대에 숙사(塾師)라는 직업이 있었다. 남의 집에 살면서 그 집 자제들을 가르치는 일종의 입주(入住) 가정교사이다. 숙사의 입장에서 학생은 고용주의 자제(子弟)이므로 함부로 대할 수 없으니 꾸짖거나 회초리는 엄두도 내지 못한다. 글방의 가정교사에게 스승의 권위가 없는 것은 당연한 결과이다. 반면에 스승은 직업이 아니었으며 전통적인 사제 관계는 오로지 존경과 신뢰로 맺어졌다.

직업의 다양화·세분화로 누구나 직업을 가져야만 하는 시대의 도래로 숙사와 스승의 구별이 쉽지 않다. 인지적 영역 지도에 치중하며 국영수 1등급을 맹신하는 공부 문맹 시대에 스승을 자처했다가는 교단에 서 있기조차 힘들다. 스승은 높은 통찰력으로 교육을 바라보며 학생들과 교감을 하는 존재이다. 학생들의 인지적 능력의 성장을 위해 힘쓰지만, 그 바탕에는 사랑과 존중을 할 수 있는 학생으로의 성장이 근본이다."

선생님들은 스스로의 연찬을 통해서 '스승'의 반열로 올라서는 각고의 노력이 필요하다. 도덕적 책무가 어느 집단보다도 높기에 충분히 가능한 일이다. 스스로를 너무 겸손하게 보는 경향을 없애야 한다. 스승은 나이가 많고 적음이, 교육경력이 길고 짧음에 있지 않다. 스스로의 믿음이 있으면 충분하다.

스승이 많은 사회가 되어 사람들이 자아실현의 상위욕구로 한 걸음 더 다가가는 공동체 실현에 선생님이 앞장 설 수 있다.

3-(3) 교육은 선생님이 주도해야 한다

교원의 정치 참여 시민권, 논의할 때가 왔다
-사회의 거대한 지성집단 50만 명이 잠자고 있다-

전국공무원노동조합, 대한민국공무원노동조합총연맹, 전국교직원노동조합은 7일 국회 앞에서 기자회견을 열고 "공무원·교원의 정치·노동기본권 보장 법안을 연내 개정하라"고 촉구했다. 이들 단체는 기자회견문에서 "공무원과 교원 노동자는 천부인권인 정치기본권과 노동기본권을 제한당한 채 무려 60년의 세월을 반쪽 국민과 반쪽 노동자로 살아왔다"며 "공무원과 교원에게 정치자유와 노동기본권을 보장하는 것은 거스를 수 없는 시대적 요구이고 민주국가의 바로미터"라고 주장했다.

(연합신문, 김기훈, 2021-12-07 https://www.yna.co.kr/view/AKR20211207080000530)

학교 교육 및 학교의 기능에 대한 문제점이 생길 때마다 시민들은 교육정책 및 교육법 수립에 직접적으로 관여하지도 못하는 학교와 선생님들에게만 책임을 묻는다.

국회의원의 10% 정도가 교원으로 구성된 독일, 핀란드처럼 교원의 정치 참여 시민권 확보 되지 않은 상태에서 정책적인 제도 개선을 선생님들에게 기대한다는 것은 말도 안 된다. 교육에 대한 법과 정책 수립에서 교육 전문가 집단인 교육자를 제외한다는 것은 너무도 이치에 맞지 않는다.

우리나라는 공교육비 100조는 국방비 예산 57조의 2배 가까이 된다. 막대한 예산 사용을 떠나서 교육자가 교육에 대해 이야기할 수 있는 채널이 없다는 것은 어떻게 이해할 수 있겠는가? 국회의원이 되었다가 다시 학교로 복직하는 북부유럽의 사례 등을 고려해봄직 하다.

사회의 거대한 지성 집단의 두뇌와 능력을 묶힌다는 것은 국가적으로 막대한 손실이다. 교원의 정치적 참여에 대한 사회의 지속적 토론으로 합일점을 찾는 노력이 필요하다.

선생님들은 당리당략에 흔들릴 정도로 도덕적 책무성이 약한 존재가 아니다. 청렴 문화 실천, 촌지 문화 근절 등에서 보여준 성숙된 모습이 참고가 될 수 있다. 교육을 하는 당사자의 목소리를 듣는 다면 우리나라는 더 희망찬 사회로 성장할 것이다.

교육의 신탁통치 기간을 끝내고 교육 주체자 선생님도 함께 참여하는 '선수 교체'의 시간이 왔다. 우리나라는 그 정도로 무르익고 성숙한 사회가 되었다.

선생님,
공부가 재미있어요.

엄마,
공부 더 할래요~!

"공부는 기쁨과 즐거움을 준다. -공자 & OECD-"

OECD(경제개발협력기구)에서 7년간의 연구 결과로 2003년 보고서를 발표했다. '21세기를 이끌어갈 리더는 어떤 사람일까?'의 질문에서 출발한 프로젝트는 '인생을 잘 사는 사람, 불행보다는 행복한 사람, 헐벗고 굶주리는 사람보다는 잘 먹고 잘사는 사람'이 되고 싶다면 갖추어야 할 역량을 연구한 보고서라 할 수 있다.

동양에서 공부하는 대표적인 교과서 '논어, 학이편(學而篇) 제1장의 3문장'과 OECD에서 밝힌 '생애 핵심역량(Key Competencies) 3가지'는 같은 의미를 담고 있다. 수천 년의 시간 차이가 있지만 공부에 대해 '공자'와 'OECD'가 같은 이야기를 한다는 뜻이다.

즉, 學而時習之不亦說乎(학이시습지불역열호, 배우고 때때로 익히면 어찌 기쁘지 아니한가)는 첫 번째 생애 핵심역량 '알고 있는 지식을 활용하는 능력'과 같으며, 有朋自遠方來不亦樂乎(유붕자원방래불역락호, 벗이 있어 멀리서 찾아오니 어찌 즐겁지 아니한가)는 두 번째 역량 '다른 사람과 좋은 관계를 맺는 능력', 人不知而不慍不亦君子乎(인부지이불온불역군자호, 사람들이 알아주지 않아도 섭섭해하지 않으니 어찌 군자가 아니랴)는 세 번째 역량 '자기를 스스로 관리하는 능력'과 일치한다.

공부의 목적이 '불행보다는 행복을', '정신적·물질적 빈곤보다는 풍요로움을' 위해 한다는 거에 동의한다면, 공부는 하면 할수록 흥미롭고 재미있는 것이라고 할 수 있다. 공자도 공부가 '~說乎, ~樂乎'라고 표현하면서 기쁨과 즐거움을 준다고 이야기하고 있다.

공자 & OECD가 말한 공부의 목적과 뜻을 다음과 같이 학생들에게 알려주고 학교에서 세 가지를 키우는 것에 집중한다면 공부가 재미있고 더 하고 싶은 마음이 들 것이다. 학교 가는 발걸음이 가벼울 거다.

△**(지금보다 더)** 배운 걸 적재적소에 써먹는 힘을 키운다.
   (그래서 재미있다, 더 배우고 싶다~~!!)
△**(지금보다 더)** 사람들과 잘 어울리는 품성을 키운다.
   (그래서 행복하다, 더 잘 어울리고 싶다~!!)
△**(지금보다 더)** 자기를 조절·관리하는 힘을 키운다.
   (그래서 내가 점점 더 멋져진다, 미래가 더욱 기대된다~!!)

공부는 '영어 단어, 수학 공식을 달달 외워 문제를 빨리 풀어서' 1등급 안에 들기 위해서 하는 '것<u>만</u>'이 아니라, 사람이 '잘 살아가기 위해 하는 것'이라는 데 동의한다면 공부는 공자가 말한 대로 '~說乎, ~樂乎', 즉 기쁨과 즐거움을 줄 것이다.

선생님들이 먼저 목소리를 내기 시작해야 한다. 교실에서 선생님들은 이미 알고 있다. 어떤 학생이 사회에 나가서 '잘 살 것인지를', 그런데 그것을 판단하는 근거가 '국영수 1등급'이 아니라 위의 세 가지 능력임을 알고 있다. 국제학업성취도 평가 성적표가 형편없는 유대인을 제외한 전 세계가 특히 대한민국이 학력 신장'만'을 외치니 용기를 낼 수가 없는 것이다.

'꿈과 끼'를 위한 교육, '다양성'이 꽃피는 교육, '공존'의 교육은 구호에 불과하다. 고등학생을 3년 내내 학교 시험, 모의고사, 수능 시험에 묶는 것이 그 증거이다. 시험의 굴레에서 '꿈과 끼', '다양성'이 존재한다면 기적이다. 친구보다 시험 잘 봐서 내신 1등급, 수능 1등급 컷으로 동료를 누르고 좋은 대학, 의과대학에 진학해야 하는 학생에게 '공존'이라는 단어가 어불성설이다.

중학교는 고등학교를 준비하는 전 단계일 뿐이다. 초등학교는 대학 진학을 위해 빡센 중·고등학교 과정을 위해 잠시 놀리는 곳이다. 그러니, 유치원은 보육과 통합하려 하고, 초등학교에 '사교육'과 '늘봄학교'로 한 지붕 세 가족을 만들려 한다는 생각이 들게 된다. 저자(著者)의 생각과 주장이 극단적인가?

2023년도 국가 예산에서 57조의 국방비 2배인 102조가 교육비 예산이다. 사교육비 30조를 더한 130조의 막대한 규모의 돈이 학생들의 '꿈과 끼', '다양성', '공존'이 아닌 절대 행복하지 않은 서열화·등급화의 경쟁 가도로 몰아세우고 있다.

오로지 대학 가기 위해서만 유·초·중·고가 존재하는 사회에서 학생들이 공부가 재미있을 리가 만무하다. 서열화·등급화의 수단인 '공부', '학업'은 친구를 절대 '공존의 대상'이 아닌 '이겨야 하는 대상'으로 만들 뿐이다.

공교육의 마지막 학교인 고교 시절에 남은 추억이라곤 시험밖에 없고 친구를 이겨야 하는 대상으로 기억될 것을 생각하면 가슴이 저려온다. 오로지 1등급 만을 위해 달렸던 학생은 따뜻한 친구, 가슴 설레는 추억이 없을 것이다.

선생님들의 자발적 주체에 의한 '공교육 멈춤의 날'은 우리나라

위기 극복의 골든타임을 늘여준 일이다. '학교폭력', '아동학대' 등의 끔찍한 단어가 학교에서 사라지고, 선생님들이 존중받으며 올바른 교육이 가능한 교실로 변화되어야 할 '공교육 정상화'는 대한민국의 미래가 달려있다.

유대인들을 보면, 학생들이 '공부가 재미있어요~!!'라고 외치는 세상은 그리 어렵거나 멀지 않다. '너는 그림 잘 그리는 천재, 너는 달리기 잘하는 천재, 너는 상상력 풍부한 천재......' '사람마다 좋아하는 거 잘하는 게 다르단다'라고 이야기해주면 된다. 인생을 잘 살아가기 위한 진짜 공부를 하게 도와주면 된다.

스승이 되돌아온다.
스승이 보이기 시작한다.
구루가 많아진다.
철학자가 많아진다.

·
·

대한민국은 희망의 국가이다.

진정한 공부는 즐거움, 기쁨, 행복을 준다.

"선생님, 공부가 재미있어요~~!"
"엄마, 공부 더 할래요~~!"

행복한 학교, 행복한 사회를
꿈꾸시는 모든 분,

감사합니다.